Reine Pokou

Concerto pour un sacrifice

Véronique Tadjo

Texte intégral

édicef

LITTÉRAFRIQUE

Faire entrer la littérature du continent dans les classes

LITTÉRAFRIQUE ROMANS

Cheikh Hamidou Kane, *L'Aventure ambiguë*
Ferdinand Oyono, *Une vie de boy*
Sembène Ousmane, *Les Bouts de bois de Dieu* (extraits)
Amadou Koné, *Les Frasques d'Ébinto*
Véronique Tadjo, *Reine Pokou*
Emmanuel Dongala, *Johnny Chien méchant*
Aminata Sow Fall, *L'Appel des arènes*
Évelyne Mpoudi Ngollé, *Petit Jo, enfant des rues*

LITTÉRAFRIQUE THÉÂTRE

Amadou Koné, *Le Respect des morts*, suivi de *De la chaire au trône*

LITTÉRAFRIQUE NOUVELLES

Cheikh C. Sow, *Cycle de sécheresse*
Séverin Cécile Abéga, *Les Bimanes*
Anthologie de nouvelles (choisies et présentées par Odile Cazenave, Université de Boston)

LITTÉRAFRIQUE CONTES

Anthologie de contes (choisis et présentés par Lilyan Kesteloot)

LITTÉRAFRIQUE POÉSIE

Anthologie poétique (choix et présentation par Odile Cazenave, Université de Boston)

Dossier et questionnaires par Odile Cazenave, Université de Boston.

Couverture : Anne-Danièle Naname
Photo de couverture : Bernard Foubert / Photononstop
Mise en pages : L'autreagence

ISBN : 978-2-7531-0356-6

Sommaire

L'AUTEURE ET SON ÉPOQUE

Véronique TADJO

Poète, romancière, écrivaine pour la jeunesse, peintre, Véronique Tadjo est une artiste au sens plein du terme. Née à Paris en 1955, de père ivoirien et de mère française, elle a grandi en Côte d'Ivoire. Elle a été professeure de littérature au Nigeria. Elle a également vécu en Amérique latine, en Grande-Bretagne et au Kenya. Elle habite depuis plus d'une dizaine d'années en Afrique du Sud où elle a choisi de se consacrer pleinement à l'écriture et à la peinture avant de reprendre l'enseignement dans la prestigieuse université de Witwatersrand (Johannesburg).

Ses écrits

Elle est l'auteure de : *Latérite* (1984), *À vol d'oiseau* (1986), *La Chanson de la vie* (1989), *Le Royaume aveugle* (1991), *Champs de bataille et d'amour* (1999), *À mi-chemin* (2000), *L'Ombre d'Imana, voyages jusqu'au bout du Rwanda* (2000), *Le Royaume aveugle* (2000), *Reine Pokou* (2004), *Loin de mon père* (2010) et *Nelson Mandela : « Non à l'apartheid »*.
Une part importante de son œuvre est également consacrée à la littérature jeunesse avec notamment : *Mamy Wata et le monstre* (1993), *Le Seigneur de la danse* (1993), *Le Grain de maïs magique* (1996), *Grand-mère Nanan* (1996), *Ayanda, la petite fille qui ne voulait pas grandir* (2007).

Des thèmes récurrents

L'amour

Un principe clé se dégage de l'écriture de Véronique Tadjo : l'amour comme force fondatrice face à un monde à la dérive. Si *À vol d'oiseau* et *Le Royaume aveugle* montrent la possibilité d'un monde meilleur bâti autour d'une relation égalitaire entre homme et femme, *Champs de bataille et d'amour* ainsi que le recueil de poésies *À mi-chemin* laissent percevoir l'érosion et les limites de cet amour, en particulier dans l'environnement urbain postcolonial africain. Véronique Tadjo nous donne à voir une image très dure de la ville : drogue, consommation, prostitution apparaissent comme les nouveaux dieux de cet univers, et l'un et l'autre texte soulignent les dangers qu'ils représentent pour la jeunesse. Dans ce contexte, Véronique Tadjo s'attache à effectuer un bilan, à réfléchir aux tournants importants sur le chemin de la vie, ce qui en constitue les intersections. Ce faisant, l'auteure s'efforce de penser un monde différent, porteur, plein et riche de sens.

La mémoire

L'Ombre d'Imana, voyages jusqu'au bout du Rwanda (2000) a créé une sorte d'effet rupture dans l'écriture de Véronique Tadjo. Pour la première fois en effet, l'auteure inscrit sa narration dans un espace et un temps délimités, identifiables et précis, en l'occurrence celui du Rwanda et du génocide des Tutsi en 1994. Participant avec neuf autres écrivains africains au projet « Rwanda : écrire par devoir de mémoire », projet lancé en 1998 par Nocky Djedanoum et Maïmouna Coulibaly, directeurs de Fest'Africa, Véronique Tadjo devait comme pour chacun d'entre eux écrire, au terme d'une résidence de deux mois au Rwanda, un texte original de fiction. Elle a choisi la forme d'un journal de bord explorant le passé dans toutes ses erreurs, ses atrocités, afin d'essayer de favoriser une réconciliation avec la mémoire collective africaine.
Si ce texte s'ancre dans son écriture et dans le Rwanda, il va au-delà des spécificités du génocide au Rwanda pour réfléchir aux conséquences post-traumatiques de tout génocide. À travers différentes sections, souvent présentées sous la forme de vignettes, Véronique Tadjo met à plat les mécanismes d'une politique d'extermination ou d'exclusion. Ce faisant, elle pose la question de la réconciliation au sein d'un espace de vie partagé par les rescapés et leurs bourreaux.

Reine Pokou

Reine Pokou s'inscrit dans la continuation logique de cette interrogation et poursuit une réflexion sur ce qui fait l'Histoire mais aussi la mémoire d'un peuple, notamment du peuple baoulé à l'origine du fondement de la Côte d'Ivoire.

Reine Pokou
Concerto pour un sacrifice

La légende d'Abraha Pokou, reine baoulé, m'a été contée pour la première fois quand j'avais autour de dix ans. Je me souviens que l'histoire de cette femme sacrifiant son fils unique pour sauver son peuple avait frappé mon imagination de petite fille vivant à Abidjan. Je me représentais Pokou sous les traits d'une Madone noire.

Plus tard, au lycée, je retrouvai le récit du sacrifice, mais cette fois-ci dans mon livre d'histoire. Un petit encart dans le chapitre sur le royaume ashanti au XVIIIe *siècle expliquait que l'exode de la reine et de ses partisans, à la suite d'une guerre de succession, aboutit à la naissance du royaume baoulé. Abraha Pokou prenait ainsi la stature d'une figure historique, héroïne-amazone conduisant son peuple vers la liberté.*

Pokou grandit en moi. Je lui donnai un visage, une vie, des sentiments.

Plusieurs décennies plus tard, la violence et la guerre déferlèrent dans notre vie, rendant brusquement le futur incertain. Pokou m'apparut alors sous un jour beaucoup plus funeste, celui d'une reine assoiffée de pouvoir, écoutant des voix occultes et prête à tout pour asseoir son règne.

Pokou encore, sous d'autres traits, dans d'autres temps, comme si la légende pouvait être contée à l'infini, revisitée maintes fois pour tenter de résoudre l'énigme de cette femme, de cette mère qui jeta son enfant dans le fleuve Comoé.

PARCOURS 1

1. Pourquoi ce texte qui précède la partie I, « Le temps de la légende », est-il écrit en italique ?
2. Que représente-t-il ?
3. Qui parle ?
4. a. Quelles premières images nous sont données de la reine Pokou ?
   b. Définissez les mots suivants : *Madone* et *funeste*.
5. Pourquoi la voix narratrice en vient-elle à reconsidérer l'histoire de la reine Pokou ?
6. Comment la reine Pokou lui apparaît-elle dans ce texte ?

I
Le temps de la légende

Dans le puissant royaume ashanti, par un jour d'harmattan, Abraha Pokou naquit à Kumasi, la capitale. L'air était sec, chargé de poussière et le palais happé par le brouillard. Elle était la nièce du grand roi Osei Tutu dont l'invincible armée avait pour emblème les criquets, ces insectes aux longues pattes qui attaquent par milliers, d'un seul coup, en détruisant tout sur leur passage.

Quelques mois après sa naissance, la petite fille fut déposée sur une natte dans la cour familiale, pendant que sa mère cuisinait et que chacun vaquait à ses occupations quotidiennes. Soudain, alors qu'elle dormait paisiblement à l'ombre du beau manguier centenaire, un grand coup de vent provoqua un tourbillon de poussière qui la réveilla et la fit pleurer. Surprise, la mère prit son enfant dans les bras et alla se réfugier dans ses habitations. Mais lorsqu'elle posa de nouveau les yeux sur sa fille, elle constata avec effarement que ses cheveux avaient poussé comme de la mauvaise herbe et qu'ils étaient à présent aussi épais et touffus qu'un champ de maïs sauvage.

Le cœur battant, les parents de Pokou allèrent consulter l'un des meilleurs devins du royaume. Celui-ci examina le bébé avec la plus grande attention. À plusieurs reprises, il passa les doigts dans son épaisse chevelure. L'angoisse s'infiltrait dans le silence.

Finalement, le vieil homme rendit la petite après avoir déclaré qu'elle était promise à un grand destin. Oui, elle allait se distinguer des autres, certes à cause de son sang royal, mais surtout parce qu'elle avait été choisie par les esprits du clan. Son étonnante chevelure en était la preuve.

L'homme ajouta cependant : « Je vois la douleur et la gloire. Beaucoup de douleur dans la gloire. »

La princesse grandit très entourée, choyée par tous.

Elle était libre de gambader dans les clairières, de se baigner dans les rivières et de chasser au lance-pierre les margouillats ou les petits rats palmistes. Elle n'hésitait pas à défier les garçons à la course comme à la nage.

Elle se mêlait aussi aux jeux des fillettes de son âge qui gravitaient autour de leurs mamans dans la cour royale.

Les années passèrent, la petite devint élancée, sa poitrine s'arrondit. Son éducation de future épouse et de mère allait bientôt commencer. On lui confiait souvent la garde d'un enfant qu'elle mettait au dos.

La grand-mère d'Abraha Pokou, aïeule révérée, se chargea personnellement de lui enseigner la généalogie de la famille et les hauts faits de ses illustres membres. À chacune de leurs rencontres, elle rappelait à son élève que le Trône d'or était descendu du ciel pour venir se poser sur les genoux de son oncle, Osei Tutu, le désignant ainsi comme un monarque divin.

« Osei Tutu règne sur tout le royaume. Il règne sur les arbres, les animaux et les hommes. Nous sommes tous à ses ordres. Il peut marcher sur nos têtes, s'il le désire, avec la même aisance que nous marchons sur le sol. »

Si le roi se porte bien,
La prospérité régnera.
Si le roi danse,
L'allégresse sera dans tous les cœurs.
Si le roi cesse de manger,
La famine viendra.
Si le roi pose le pied nu à même la terre,
Une catastrophe arrivera.
Si des éclairs éclatent au-dessus de sa tête,
C'est qu'une guerre se prépare,
Et qu'elle sera terrible.

Cependant, l'aïeule ne manquait pas de mettre en garde sa jeune élève :

« Mon enfant, observe bien la nature à la tombée de la nuit. Entends comme elle soupire après les excès du soleil. L'obscurité apporte le recueillement. La lumière de l'or nous éblouit. Ne te laisse jamais emporter par la cupidité. »

Pokou écoutait avec respect, mais prenait un plaisir démesuré à poser des questions sur toutes sortes de sujets. Parfois, lassée par sa curiosité, la vieille femme devait lui rappeler les strictes conditions du savoir : « Ce que je vais te dire, je le dis à tes oreilles et non à ta bouche ! Comprends-moi bien, mais ne divulgue jamais mes paroles avec négligence. Si tu sais être patiente, je te ferai de nombreuses révélations. Elles viendront l'une après l'autre car personne ne dit tout le même jour. »

Remarquée pour son intelligence autant que pour sa beauté, Pokou marchait la tête haute.

La jeune fille comprit que le temps du mariage n'était plus loin, lorsque ses anciens compagnons de jeu semblèrent être soudain devenus des hommes. Certains s'étaient déjà présentés à son cercle de famille. Bien qu'elle eût préféré ne pas y songer, Pokou savait qu'il lui fallait vite exprimer son choix avant qu'une décision ne fût prise pour elle. Les qualités physiques et morales de l'élu importaient plus que son rang social. S'il était beau, son enfant le serait aussi. S'il était courageux, son enfant le serait aussi. S'il était intelligent, son enfant le serait aussi.

Avec la permission du roi et l'approbation du grand prêtre, Abraha Pokou s'unit à celui qui avait été pendant longtemps son meilleur ami.

La première année de mariage se révéla heureuse. La deuxième, beaucoup moins car le corps de la jeune épouse ne prit aucune rondeur. Apparemment, nul enfant ne souhaitait quitter le royaume des ombres pour venir s'installer en elle. La troisième année fut envenimée par des querelles sans fin : Pokou était stérile. Non, son mari était sans sève. Pokou avait fâché les esprits. Non, son mari ne méritait tout simplement pas de partager la couche d'une princesse.

De par son statut royal, Pokou aurait pu exiger la mort de son époux si elle l'avait voulu. Elle se contenta de le répudier.

Trop tard, les mauvaises langues se déliaient déjà : « Une femme sans enfant est comme un condiment amer que l'on mêle à une sauce. Il la rend immangeable. »

Or, dans le même temps, un très grand malheur s'abattit sur l'Ashanti.

Osei Tutu, le monarque bien-aimé, le roi vénéré, le gardien du Trône d'or, l'homme parfait de corps et d'âme, fut tué traîtreusement lors d'une embuscade.

Cette mort aussi violente qu'inattendue plongea le royaume ashanti dans une période de ténèbres. Les activités quotidiennes s'arrêtèrent pour laisser place au deuil et à l'accomplissement minutieux des rites funéraires.

Plusieurs mois passèrent avant que la vie ne reprît son cours.

Lorsque Opokou Waré, le frère de Pokou et le successeur désigné d'Osei Tutu, s'assit sur le Trône d'or, la vie de la jeune femme changea radicalement. Elle avait désormais la possibilité de fréquenter les coulisses du pouvoir et d'observer l'art de régner. Ce qu'elle fit avec beaucoup d'intérêt.

Durant les années qui passèrent, Pokou eut d'autres maris. Elle offrait régulièrement des sacrifices aux dieux et demandait également aux Ancêtres d'intervenir en sa faveur :

Ô Pères bienfaiteurs,
Vous avez donné des enfants
Aux autres femmes du royaume.
Mais vous m'avez ignorée.
Les guérisseurs et les marabouts
Ne sont parvenus à rien.
Maintenant, c'est à vous que je le demande,
À vous seuls.
Donnez-moi un enfant.

Ses prières devenaient de plus en plus pressantes tandis que les ragots prenaient de l'ampleur : et si des forces maléfiques tournaient autour d'elle ? Et si l'aridité de son ventre était une preuve de sorcellerie ?

Après avoir été un sujet de railleries, Pokou inspirait à présent de la crainte.

Briser le cycle de la vie. Quelle plus grande malédiction pouvait-il y avoir pour une femme ?

Un jour, Opokou Waré et son armée au grand complet partirent mater une rébellion dans une province reculée. Un chef vassal, refusant de continuer à payer le lourd tribut que le roi lui imposait, profita de son absence pour avancer sur la ville royale en semant terreur et dévastation sur son passage.

La nouvelle d'une menace imminente atteignit le palais.

Qui allait défendre Kumasi ?

Un Conseil d'urgence se réunit afin d'organiser la résistance. Sans se faire remarquer, Pokou s'assit dans un coin pour écouter les vieux dignitaires. Les interventions traduisaient l'affolement général. La reine mère, assurant le pouvoir en l'absence de son fils, suggéra que les quelques armes qui restaient encore dans les caches fussent distribuées aux esclaves, aux femmes et aux enfants qui se sentaient capables de combattre.

En entendant cela, Pokou se leva brusquement et demanda à soumettre une autre proposition. Un notable voulut l'en empêcher, mais la reine mère donna l'ordre de la laisser parler.

La princesse s'exprima ainsi :

« On ne peut pas demander à des innocents qui ne se sont jamais battus de prendre les armes. Ils ne pourront rien faire contre une armée de malfaiteurs.

– Viens-en au fait, que suggères-tu ? lui demanda un haut dignitaire avec irritation.

– Évacuez immédiatement la ville et allez vous cacher dans la forêt environnante après avoir mis le Trône d'or et les insignes de la royauté en sécurité. Mais laissez les coffres du trésor sur place, c'est ce qu'ils viennent chercher.

– Abandonner le trésor !? s'exclama un homme au crâne rasé. Ce serait la ruine du royaume !

– Préférez-vous sauver votre vie ou partir en grande pompe dans la mort ? » répliqua Pokou avec une certaine effronterie avant de se rasseoir sans attendre de réponse.

Un long murmure de désapprobation parcourut l'assemblée. Pourtant, lorsque le Conseil reprit ses délibérations, les notables arrivèrent rapidement à la conclusion que le plan de Pokou devait être adopté et exécuté sans tarder.

Or, contre toute attente, au moment du départ, Pokou annonça qu'elle ne quitterait pas le palais. Elle avait décidé de rester auprès de tous ceux qui étaient trop faibles pour entreprendre le voyage. Personne ne parvint à l'en dissuader.

Frustrés d'être entrés dans un palais désert, les ennemis profanèrent la demeure du roi. Se déplaçant de pièce en pièce, ils s'emparèrent des objets de leur choix : ornements, parures, pagnes précieux, statuettes d'ivoire, et saccagèrent les lieux.

Lorsqu'ils trouvèrent les réserves d'alcool et de nourriture, ils burent et mangèrent avec avidité. Comme prévu, les coffres du trésor royal furent vidés.

Sur le point de sortir du palais, les pillards découvrirent la cachette de Pokou et de ses compagnons. Ils les auraient tous tués sur-le-champ si l'un des leurs n'avait pas reconnu la sœur du roi. Trop contents de pouvoir prendre en otage un membre proche de la famille royale, ils abandonnèrent les autres dont le piteux état de santé ne leur inspirait que mépris.

De retour à Kumasi, Opokou Waré et ses guerriers trouvèrent une ville saccagée et un palais en ruine. Après avoir écouté le compte rendu de l'attaque et appris le rapt de sa sœur, le roi lança immédiatement son armée à la poursuite des assaillants.

En un éclair, les ravisseurs ivres furent rattrapés, le butin trop lourd ayant considérablement ralenti leur progression. Inconscients du danger qu'ils couraient, ils riaient à gorge déployée et se félicitaient de l'humiliation qu'ils venaient d'infliger au grand monarque. Les guerriers de l'Ashanti se jetèrent sur eux sans pitié. Ils libérèrent Pokou et récupérèrent le trésor royal.

Le chef des insurgés fut décapité et sa tête ramenée à Kumasi pour y être exhibée sur un pic devant l'enceinte du palais. Quant aux prisonniers, nus et poings liés, ils traversèrent la ville sous les injures et les jets de pierres. Enfermés dans des entrepôts, ils allaient plus tard être vendus à des marchands d'esclaves.

Accueillie avec faste dans la capitale, Pokou reçut honneurs et récompenses : trois sacs de pépites d'or, quinze esclaves et un siège sacré, l'une des plus hautes distinctions du royaume.

Son courage fut reconnu publiquement.

À la suite de cet événement, le roi prit l'habitude de recevoir sa sœur en consultation. Ils parlaient en tête à tête des affaires courantes, des prochaines campagnes militaires et du commerce de l'or, de la kola et des esclaves. Pokou lui disait :

« Fais attention, les Blancs installés sur la côte n'en veulent qu'à la richesse de tes mines d'or et aux esclaves que tu peux leur fournir. Ils sont insatiables. Bientôt, tu devras envoyer tes hommes dans des régions de plus en plus lointaines. Prends garde à toi, les longs fusils te rendent puissant aujourd'hui, mais, demain, ils pourraient être utilisés contre toi. »

Un jour, alors que rien ne le laissait présager, un homme demanda la main de Pokou. Officier de l'armée royale, c'était lui qui l'avait libérée au moment de son enlèvement. Elle accepta ce mariage comme un cadeau venu des dieux.

Quelques mois seulement après leur union, Abraha Pokou découvrit, éberluée, qu'elle attendait un enfant.

La naissance fut marquée par de nombreuses cérémonies.

Pokou s'adressa solennellement aux Ancêtres :

« Voici le fils que vous m'avez donné. Je vous remercie d'avoir exaucé mes prières. En retour, je vous promets qu'il vous honorera toute sa vie ! »

Faisant face à la foule, l'oracle ordonna d'une voix forte :

« Vous qui êtes assemblés ici, saluez cet enfant ! Grâce à lui, un royaume puissant s'élèvera. »

Le bonheur de Pokou était à son comble. Que pouvait-elle souhaiter d'autre ? Elle avait tout. La chance s'était enfin tournée vers elle. Le temps passait dans la douceur d'un amour maternel fleurissant de jour en jour. Elle en oublia la politique et ses intrigues.

Mais l'Histoire n'arrêta pas son cours. Lors d'une campagne militaire, Opokou Waré tomba malade. Gravement malade. Il fut ramené sur un brancard après plusieurs jours de marche. Les guérisseurs du palais lui donnèrent des décoctions amères, lui appliquèrent des cataplasmes et lui firent inhaler des mélanges de feuilles et d'écorces brûlées. Dans la nuit, de l'encens purifiait la chambre du malade.

Les prêtres demandèrent des sacrifices. Les marabouts de la Grande Mosquée du quartier musulman insérèrent des versets du Coran dans des amulettes qu'ils disposèrent autour de sa couche. En vain.

Sentant que le temps d'aller rejoindre les Ancêtres était venu, le roi nomma son héritier. Sur les conseils de Pokou, son choix se porta sur Dakon, leur demi-frère dont la fidélité et le dévouement étaient sans faille.

Opokou Waré confia les secrets du pouvoir à Dakon. Il vomit la bague royale qu'il gardait dans son estomac depuis des décennies et la lui tendit.

Celui-ci l'avala après avoir juré que le nouveau règne se passerait toujours dans le plus grand respect des principes royaux.

Peu de temps après, ravagé par son mal, le roi abandonna l'existence. Il était parvenu à la fin d'un long règne.

La reine mère susurra des paroles sacrées à l'oreille de son fils défunt pendant que les prêtres versaient dans sa bouche un mélange d'eau, d'alcool, de poudre d'or et de pierres précieuses.

« Nana, murmura le grand prêtre, lorsque la mort s'empare de sa proie, on ne peut pas l'empêcher de l'avaler. »

Tous les chefs de province se rendirent à Kumasi pour prendre part à des funérailles dignes du grand monarque qu'Opokou Waré avait été. À travers tout le royaume, la douleur fut sincère et s'étendit jusqu'à la levée du deuil.

Puis vint le temps d'élire un nouveau roi. Tout portait à croire que ce serait là une tâche aisée puisque les dernières volontés du défunt monarque étaient généralement respectées.

En fait, le Conseil se trouva profondément divisé. Une partie des dignitaires s'opposait à Dakon, estimant qu'Abraha Pokou aurait trop d'influence sur son demi-frère et qu'il était préférable de laisser le pouvoir à un homme plus expérimenté. D'autres pensaient qu'il fallait s'en tenir au choix du défunt qui connaissait mieux que tous quelles étaient les qualités requises pour devenir un bon monarque.

À l'issue d'un débat houleux qui engendra de mauvaises passions, Dakon se retrouva définitivement écarté du pouvoir. Un vieil oncle de la famille royale, manipulateur habile, fut élu à sa place.

Le vieil homme s'assit sur le Trône d'or au cours d'une cérémonie organisée à la hâte. On ne le porta pas en triomphe dans toute la ville comme cela se faisait traditionnellement, la situation étant encore trop tendue dans le royaume.

Entouré de ses hommes de confiance, le nouveau monarque passa la nuit de son intronisation à veiller et à élaborer un plan pour imposer définitivement son autorité. Avant le chant du coq, sa décision fut prise : il ne pouvait y avoir deux rois ; Dakon devait être éliminé.

Il le fit étrangler dans son sommeil.

Après cet assassinat, le fils de Pokou, devenu selon la loi du matriarcat l'héritier le plus direct du trône, fut soudain en danger de mort. La présence de l'enfant et de sa mère dans le royaume était une menace pour le pouvoir absolu du roi. Par ailleurs, le vieil oncle n'aimait pas sa nièce à qui il reprochait de cacher des ambitions démesurées. Il la trouvait également trop proche des plus grands prêtres du royaume.

Meurtres et disparitions se multipliaient dans Kumasi. Des quartiers entiers étaient incendiés, leurs habitants poursuivis et tués en plein jour.

Tous les membres du Conseil ayant soutenu Dakon disparurent. Leurs corps mutilés furent ensuite retrouvés sur des tas d'ordures.

Fuir avec son enfant ? Abandonner les membres de sa famille, son mari et les nombreux partisans de son frère ? Non, Pokou refusait d'y songer.

Lorsqu'un officier de l'ancienne garde royale vint lui annoncer que son élimination avait été ordonnée et qu'elle devait s'enfuir au plus vite, la jeune femme répliqua : « Je refuse de me sauver comme une voleuse. Je suis protégée par l'esprit de mon frère. Avec l'aide des dieux, je trouverai une solution. »

Cependant, quand la mère de Dakon mourut dans ses bras après avoir été poignardée dans le dos, Pokou décida d'organiser l'exode de tous ceux dont la sécurité était menacée à l'intérieur du royaume.

Dans le secret absolu, Pokou s'entretint avec un marchand musulman établi à Kumasi. Elle était convaincue qu'il ferait un bon guide car il était grand voyageur. Le marchand suggéra d'aller vers l'ouest. Il y avait dans ces territoires d'immenses forêts aux arbres splendides. Leurs feuillages étaient si touffus qu'il y faisait sombre alors que le soleil pointait au zénith. Le sol y était riche, très riche. Un bout de bois enfoncé dans la terre prenait immédiatement racine.

Lorsque l'aurore se montra, Pokou et ses partisans étaient déjà loin, formant un long cortège qui ondulait dans la brousse.

Des éclaireurs les devançaient, attentifs au moindre bruit ou signe pouvant annoncer un danger. Ils n'hésitaient pas à grimper aux arbres pour scruter les environs.

À intervalles réguliers, les chasseurs soufflaient dans leurs cors afin d'encourager la colonne à avancer. Les fugitifs s'enfonçaient profondément dans la forêt, domaine des esprits impatients envers les hommes. Le sol était humide, couvert d'humus épais et noir où se cachaient les serpents.

Sur leur chemin, ils rencontrèrent plusieurs villages qu'ils contournèrent suivant les recommandations des éclaireurs. Encore trop proches de Kumasi, ils les auraient certainement trahis. Par contre, ils acceptèrent d'accueillir dans leurs rangs des voyageurs isolés, tandis que des chasseurs leur indiquèrent où trouver des points d'eau et du gibier.

Leur progression était lente, parsemée d'embûches. Parfois, des moments de profond découragement les assaillaient.

Après plusieurs jours de marche, la colonne s'arrêta afin de concevoir un plan d'urgence : le mari de Pokou, accompagné d'une poignée de dignitaires et d'une garde renforcée, devait rebrousser chemin pour aller à la rencontre de l'armée royale. La délégation avait pour mission de gagner le plus de temps possible en prétendant que Pokou et ses partisans avaient décidé de se rendre et de retourner à Kumasi.

Le subterfuge porta ses fruits. Les chefs des deux camps s'installèrent en pleine forêt pour mener à bien les pourparlers. Libations. Sacrifices. Palabres. Les négociations entraînaient de longues discussions qui ne trouvaient aucun véritable aboutissement.

Excédé, le chef de l'armée royale finit par comprendre qu'il avait été trompé. Fou de rage, il fit égorger tous les émissaires de Pokou avant de se lancer de nouveau aux trousses des fugitifs.

Les éclaireurs annoncèrent la nouvelle à Pokou qui chancela sous le poids de la souffrance. À présent, elle doutait du bien-fondé de l'exode :

« Les Ancêtres sont-ils avec nous ou contre nous ? Pourquoi les génies nous abandonnent-ils, malgré tout ce que nous leur avons donné ? »

Dans les rangs des fugitifs, on chuchotait que la ténacité de Pokou était la cause de leur malheur. Qu'est-ce qui la poussait ainsi à avancer, à les entraîner dans un exode au cours duquel ils allaient tous périr ?

Pokou demanda au devin de lui indiquer la voie qu'il fallait suivre :

« Que découvres-tu dans les signes ? Devons-nous persévérer ou nous rendre ?

– Il faut continuer, lui répondit-il. Je vois encore beaucoup de peines et de souffrances, mais dès que nous aurons dépassé les frontières de l'Ashanti, ton destin de reine commencera. »

L'armée du roi les talonnait.

Or, la colonne fut stoppée net par le fleuve Comoé dont les eaux turbulentes marquaient les limites du royaume. Sur la rive opposée, la liberté. Derrière eux, la mort.

Quelques hommes tentèrent de traverser à la nage, mais furent immédiatement emportés par le courant.

Le grand prêtre se retira pour interroger l'Esprit des eaux.

Il revint le visage sombre :

« Personne ne pourra passer tant que nous n'accomplirons pas un sacrifice. »

Après avoir rassemblé les quelques bijoux et autres objets précieux qu'ils avaient pu emporter, les fugitifs les jetèrent un à un dans le fleuve.

Les dons n'eurent aucun effet sur la colère des flots.

Le devin s'en prit violemment au peuple rassemblé sur la berge :

« Le fleuve exige un sacrifice beaucoup plus important que toutes vos pacotilles ! Il veut un sacrifice sans égal. Celui d'une âme pure. Je veux dire, le corps d'un enfant. »

On fit venir le fils d'une servante, mais le vieil homme le repoussa en disant :

« Il s'agit du corps d'un enfant noble. »

Aucune princesse ne voulait offrir le sien.

Pokou prit son petit garçon, le leva au-dessus de sa tête et le jeta dans les eaux du fleuve.

Le sol se mit à trembler. Des éclairs fendirent l'air. Un gigantesque arbre centenaire vint s'écraser devant eux. Ses racines énormes reposaient sur une rive, tandis que son épais feuillage était couché sur l'autre. Son tronc formait un véritable pont.

Le peuple passa sans encombre au-dessus du fleuve.

Dès que le dernier homme toucha le sol de la liberté, un bruit assourdissant se fit de nouveau entendre. Le grand arbre se brisa en deux et s'enfonça lentement dans les eaux.

L'armée du roi apparut bientôt sur la rive désertée. De l'autre côté, les partisans de Pokou observaient en toute sécurité les soldats brandissant leurs épées, jurant et piaffant de frustration devant le barrage des eaux.

Ainsi, les exilés purent s'installer dans une immense clairière verdoyante.

Le grand prêtre se tourna vers eux :

« Si nous sommes aujourd'hui libres, nous le devons au courage et à la grandeur d'âme d'une femme hors du commun. Demandons-lui d'accepter d'être notre reine.

– Nous la supplions d'être notre reine ! » s'écria le peuple à l'unisson.

Mais Pokou, tête baissée, répétait inlassablement « *Ba-ou-li* » : « L'enfant est mort ! »

Alors, les sages firent un cercle autour d'elle et déclarèrent :

« Désormais, nous nous appellerons "Baoulé" en mémoire de ton sacrifice. »

PARCOURS 2

PARTIE I : LE TEMPS DE LA LÉGENDE

COMPRENDRE

Définissez les termes suivants : *s'infiltrait* (p. 12) ; *choyée* (p. 13) ; *embuscade* (p. 16) ; *railleries* (p.17) ; *décoctions* (p. 22) ; *susurra* (p. 23) ; *débat houleux* (p. 24) ; *scruter* (p. 26) ; *subterfuge* (p. 27).

ANALYSER

I. La progression de la partie

1. À quoi renvoie le temps de la légende ?
2. Quelle est la légende de la reine Pokou ? Quels en sont les éléments essentiels ?
3. Quelle est la valeur du mot « sacrifice » ?
4. D'où vient l'origine du mot « Baoulé » ?

II. Les circonstances

1. Le lieu

a. Où se trouve Kumasi aujourd'hui ?
b. Relevez les expressions qui rendent compte du lieu.

2. L'atmosphère

a. Relevez les expressions qui rendent compte de l'atmosphère.
b. Quelles en sont les étapes ?

3. L'enchaînement : la construction de la partie

- Pourquoi les parents de Pokou sont-ils inquiets pour elle lorsqu'elle est enfant (p. 12) ?
- Que prédit le devin ? À quoi le voit-il (pp. 12-13) ?
- Quel rôle joue la grand-mère de Pokou ?

- Faites le portrait de Pokou enfant ; Pokou jeune fille ; Pokou épouse et Pokou mère. Relevez des expressions du texte pour accompagner chacun des portraits.
- Quelles difficultés connaît Pokou comme mère ?
- Comment s'illustre-t-elle en tant que jeune femme et sœur du roi (p. 18) ?
- Quels conseils donne-t-elle à la reine mère (p. 18) ?
- Comment montre-t-elle son courage (p. 19) ?
- À l'approche de sa mort, qui Opokou Waré choisit-il comme successeur ? (p. 22)
- Décrivez les funérailles (p. 23).
- La décision du roi défunt est-elle respectée ? Pourquoi (p. 24) ?
- Quelle est l'atmosphère à Kumasi avec le nouveau roi ? Décrivez ce nouveau roi (p. 24) et comparez-le à Osei Tutu (pp. 13-14, 16).
- Lorsque Pokou doit fuir, pourquoi choisit-elle de partir vers l'ouest (p. 25) ?
- Quel subterfuge utilise Pokou pour gagner du temps ? Quel en est le résultat (pp. 26-27) ?
- Que disent les fugitifs (p. 27) ?
- Que répond le devin à la question de Pokou : « Devons-nous persévérer ou nous rendre » (p. 27) ?
- Que fait Pokou (p. 29) ?
- Quels mots répète-t-elle (p. 30) ?

LE NARRATEUR ET LE POINT DE VUE

I. La progression de la partie

1. La voix narratrice est-elle identifiable ?
2. De quel point de vue parle cette voix ?
3. A-t-elle des interrogations ? Si oui, lesquelles ? Quelle position adopte-t-elle ?

ANALYSER LES PERSONNAGES

1. Combien de personnages apparaissent dans cette partie ?
2. Comment est présentée la reine Pokou ?
3. Quels sont les personnages secondaires ? Quelle est leur fonction ? Comment sont-ils représentés ?
4. Quel est le lien entre le personnage principal et les personnages secondaires ?
5. Relevez les expressions qui montrent le courage et la détermination de la reine.

POUR ALLER PLUS LOIN

1. Quelle distinction faites-vous entre : légende, mythe et histoire ? Comment sont-ils liés dans *Reine Pokou* ?
2. Sur quels aspects insiste l'auteure dans son récit du sacrifice de la reine Pokou ? Quelle image est donnée des devins ?
3. Quelle image est donnée de Pokou en tant que reine et femme de pouvoir ?

ÉCRIRE

Lorsque la délégation rencontre les poursuivants du roi, elle doit prétendre que la reine a décidé de se rendre et de rentrer à Kumasi. La voix narratrice parle de palabres et de négociations difficiles qui n'aboutirent pas (p. 27). Imaginez la rencontre et la discussion en n'oubliant pas de planter le décor.

RECHERCHER

1. Il y a dans la Bible une histoire similaire du sacrifice d'un enfant. Quels sont les points de ressemblance avec la légende de la reine Pokou ? Quelles en sont les différences ?
2. Pouvez-vous penser à d'autres exemples d'héroïnes dans l'Histoire ? Y a-t-il d'autres exemples en littérature ?

II
Le temps du questionnement

ABRAHA POKOU, REINE DÉCHUE

Selon la légende, la reine Pokou dut sacrifier son enfant pour sauver son peuple. Sacrifier son enfant pour sauver son peuple.

L'enfant devait mourir. La femme arracha ses propres entrailles, referma l'intérieur de son ventre, renia son instinct de mère et durcit son cœur à jamais. Reine de tout un peuple mais mendiante de son amour le plus fort.

Les flots s'ouvrirent, dit-on, après avoir englouti l'enfant, après l'avoir ballotté, malmené, dévoré, pour permettre à la colonne des fugitifs de poursuivre son exode.

Et l'exil de la reine commença ainsi. Exil au plus profond de son âme, brisée, tourmentée. Elle était orpheline de l'enfant alors qu'il avait laissé dans son corps les marques de sa naissance : zébrures grotesques sur son ventre, là où la peau avait craqué, étoffe trop tirée et seins gonflés de lait pesant trop lourd sous son pagne royal.

Elle savait qu'elle porterait désormais cette absence jusqu'au bout et que rien, ni le pouvoir ni les honneurs, ne pourrait l'effacer.

« *Ba-ou-li* » : « L'enfant est mort ! »

Dans la bouche des générations suivantes, Baoulé deviendra le nom du royaume érigé sur la mort de l'enfant. L'enfant-roi dont le corps finit par remonter à la surface, fruit mûr, éclaté par le poids des eaux.

Ce furent peut-être ses membres rejetés sur la rive après le festin des crocodiles et des crabes que les hommes et les femmes découvrirent. Prince dont le sang rougit les eaux pour sauver l'avenir en déroute.

Et le peuple, que dit-il ?
« *Ba-ou-li* » : « L'enfant est mort ! »

À quelle divinité faisaient-ils un tel sacrifice ?
À qui offraient-ils la mort de l'enfant ?
Et où étaient donc les dieux miséricordieux d'Afrique ?

Les notables se tenaient debout devant le barrage des eaux, obstacle à leur avancée. Ils s'étaient regroupés et avaient longuement conversé avec le devin, observant les signes, cherchant à comprendre dans quelle direction se profilait le destin.

L'attente était intolérable. Les grondements incessants du fleuve remplissaient d'effroi le peuple las et fatigué. Au fond de la forêt, l'armée vengeresse avançait à grands pas.

La reine portait son enfant dans les bras. Elle le pressait contre sa poitrine, murmurant des mots doux, fredonnant des berceuses pour apaiser la peine d'une si longue marche.

Est-ce qu'en voyant cette reine, plus faible, plus fragile que la plus ordinaire des femmes, les dignitaires ne voulurent pas montrer aux dieux impatients et cruels qu'ils savaient eux aussi parler leur langage ?

Une lumière blafarde s'était installée. Ils allèrent auprès d'Abraha Pokou pour lui révéler ce que l'Esprit du fleuve exigeait d'eux. Et la reine poussa un hurlement qui s'éleva au-dessus de la cime des arbres et se propagea dans le lointain. Le soleil se réveilla en sursaut, faisant soudain tomber une intense chaleur.

Et lorsqu'elle regarda son fils recroquevillé sur son lit d'herbes fraîches, elle comprit qu'elle était condamnée. Le temps n'allait plus jamais changer. Elle demeurerait enfermée dans sa solitude immense, emmurée pour le restant de sa vie.

Mais l'histoire est-elle vraie ? Le fleuve Comoé s'est-il véritablement ouvert pour laisser passer les fidèles en déroute ?

Les eaux se sont-elles fendues comme pour Moïse et le peuple juif ?

La légende dit aussi que l'exode de Pokou fut lent et épuisant. Les arbres de la forêt s'étaient changés en génies monstrueux qui s'accrochaient aux jambes des fuyards et étranglaient de leurs lianes les plus vulnérables. De partout, les animaux sortaient de leurs refuges pour rôder autour d'eux, reniflant la peur et le sang des blessés qui laissait des traces rouges sur l'humus riche de la forêt. Les hyènes guettaient. Les éléphants faisaient trembler le sol de leur masse, la trompe haute, agitant les oreilles comme des éventails. Sous le tapis de feuilles mortes, les serpents suivaient sans bruit, lançant, ici et là, des reflets maléfiques. Les singes ricanaient.

L'air était moite, l'atmosphère étouffante. Les hommes avaient le front brûlant et le dos dégoulinant de sueur. Les enfants portaient la fièvre du paludisme. Les femmes avaient les reins brisés par la souffrance. Tout s'accordait à chercher leur perte. Pauvre peuple fuyant une guerre fratricide que rien ne pouvait arrêter.

Les eaux se sont-elles vraiment fendues pour laisser passer le peuple ?

Abraha Pokou, belle parmi les belles avec sa peau noire et veloutée, son regard indigo et son corps de gazelle.

Abraha Pokou, princesse de Kumasi, nièce d'Osei Tutu, puissant et redoutable roi de l'Ashanti, grand conquérant, maître de l'or et de la kola.

Fille de Nyakou Kosiamoa, sœur d'Opokou Waré, demi-sœur de Dakon.

Dakon, l'infortuné monarque, assassiné, la reine mère poignardée, la famille royale massacrée et la cour ravagée.

Abraha Pokou, épargnée par miracle afin de conduire le peuple fidèle dans un exode douloureux.

Abraha Pokou, au destin prometteur, aurait dû vivre jusqu'à la fin de ses jours, parée de bijoux et d'honneurs.

Hélas ! Elle connaissait maintenant l'odeur de la mort, cette puanteur de terre et de sang, ce mélange de glaires et de chairs mises à nu. Elle avait vu tant de cadavres joncher le sol du palais, les visages familiers défigurés par l'agonie, les êtres aimés anéantis. Et elle avait pleuré en entendant le vacarme des armes et le bruit sourd des corps qui s'affaissaient. Les cris, les dernières paroles écrasés dans la poussière. Le feu partout, brûlant la nuit, carbonisant les corps.

Dans le deuil blanc du jour, la mort avait gagné les quatre coins du royaume.

Abraha Pokou, obligée d'organiser à la hâte la fuite des fidèles épuisés et au bord du désespoir.

Dans le désert de leur défaite, le corps couvert de cendres, le visage peint au kaolin dont la couleur blanche exprime le deuil et la souffrance, les pagnes en haillons, ils avancèrent en une longue colonne soudée.

Abraha Pokou ne survivait qu'en invoquant ses souvenirs. Images d'une enfance insouciante, libre comme une antilope, quand elle n'était ni fille ni garçon, ni princesse, surtout.

Le temps lui prouva le contraire : elle était bel et bien femme et de surcroît héritière d'une lignée royale. De ses entrailles allait naître un roi, successeur du Trône d'or, cadeau divin fait au royaume ashanti. Elle était gardienne de la tradition, l'élue d'un destin hors du commun.

Abraha Pokou, forte de la bénédiction des Ancêtres.

Abraha Pokou, présentée solennellement aux fétiches sacrés.

Abraha Pokou élevée dans la beauté.

Abraha Pokou à l'intelligence supérieure.

Abraha Pokou, la respectueuse qui savait honorer les morts et trouver les mots pour les amadouer.

Abraha Pokou que le courage aidait à relever la tête dans les moments les plus difficiles.

L'enfant avait illuminé ses jours, accompagné ses rêves et écarté le spectre de la mort solitaire. Il présiderait un jour à l'adieu éternel. Ne pas retourner à la terre comme du bois humide et délaissé. Ne pas profaner la mémoire des Ancêtres. Continuer la dynastie.

Pokou, droite comme un baobab, au front si fier, si humble. Pokou, la femme à la volonté de fer et d'acier, regardait le fils qu'elle tenait dans ses bras.

Elle songea à l'homme, le père, ce guerrier qui l'avait libérée de son angoisse de femme stérile. Elle l'avait aimé d'un amour paraissant impossible après toutes ces unions dont la saveur s'était dissoute au fil des années restées sans fruit. Elle se souvenait encore de l'éveil de son corps, de l'allégresse de ses sens, du miel qu'il avait fait couler dans ses veines, du lait crémeux mouillant l'intérieur de ses cuisses.

Abraha Pokou, la séductrice, amoureuse comme une petite fille alors qu'elle entamait le grand tournant de son âge de femme !

Elle regarda l'enfant-prince, le fils miracle, l'enfant-amour. Son âme se mit à chavirer, à tournoyer dans le ciel agité, à s'emballer, à se révolter, à s'écraser contre les hauts arbres de la forêt, à s'affaisser pour finalement jaillir et rejoindre l'endroit où aucun espoir n'existe et où la douleur, une fois de plus, devient maîtresse despotique.

Alors, elle leva l'enfant vers le ciel pour le montrer aux dieux. Puis, leur faisant sa plus grande offrande, le lança dans les eaux troubles du fleuve.

Le petit corps s'enfonça tandis que les tourbillons l'enveloppaient. Et la surface du fleuve devint soudain calme, si calme qu'on aurait dit une nappe d'huile dans le matin rougissant.

De la bouche de la reine vinrent les paroles de la légende que, génération après génération, les tambours allaient chanter et les conteurs redire avec des mots neufs.

« *Ba-ou-li* » : « L'enfant est mort ! »

Le peuple se prosterna tout en entonnant :
Abraha Pokou, ô mère sublime,
Ta force est notre victoire.
Ta force anéantit nos peurs.
Abraha Pokou, ô mère sublime,
Les flots se sont retirés
Pour nous laisser passer.
Les ennemis tremblent de rage,
Pendant que nous tremblons de joie
Abraha Pokou, ô mère sublime !
Nous allons fonder un royaume puissant !

Mais la légende est-elle vraie ? Les eaux se sont-elles réellement retirées pour laisser passer le peuple en fuite ?

Pourquoi faut-il toujours que les femmes voient partir leurs fils ? Que leur amour ne soit pas assez fort pour arrêter la guerre, pour empêcher la mort ?

Peut-être n'était-ce qu'un sacrifice rituel de plus, un acte de sorcellerie comme il s'en produisait souvent dans le puissant royaume ashanti ? Sacrifices humains pour apaiser la colère des dieux, pour demander l'impossible ou ramener l'abondance.

La vie d'Abraha Pokou avait été faite de violence et de douceur. De cruauté et d'amour.

Son fils avait encore l'âge de dormir à ses côtés, pressant son petit corps contre le sien, une main sur la poitrine de sa mère en signe de possession. Et malgré son sommeil agité, les coups de pied qu'il lui envoyait et ses réveils matinaux, elle refusait de s'en séparer. Émerveillée, elle prenait plaisir à s'occuper de lui.

Amour inconditionnel, gravé dans son âme, plénitude secrète. Le futur n'appartenait qu'aux étoiles.

Les oracles n'avaient-ils pas prédit un grand destin pour l'enfant ?

Devant l'obstacle des eaux, Pokou, la mère comblée, regarda son enfant pour la dernière fois, déposa un baiser sur son front et le projeta dans le fleuve.

Elle aurait voulu mourir aussi, se laisser engloutir, aller jusqu'au bout de son amour et de sa peine. Son cœur battait à tout rompre, ses yeux lançaient des appels désespérés que personne n'entendait. Elle, l'ambitieuse, Pokou à la stature de reine, la féconde, la courageuse, aurait voulu délaisser son royaume pour retrouver ne serait-ce qu'une seconde la présence de cet enfant. Et le pouvoir qui s'offrait maintenant à elle était trop lourd pour son âme effondrée.

Guerre maudite, mille fois maudite ! Comment un oncle pouvait-il ordonner la mort de son neveu ? Comment des hommes avaient-ils pu tuer leurs anciens compagnons de rites ?

L'armée de Kumasi les poursuivait. Pourquoi une querelle de succession s'était-elle transformée en une telle barbarie ? En un long exode à travers la forêt, dans cette chaleur moite et le bourdonnement incessant des insectes ?

Abraha Pokou repensait à la mort de l'homme aimé, le guerrier, le père de son enfant.

Le fleuve barrait leur avancée, rendant tout espoir impossible. Fleuve à la morsure fatale, flots en délire, eaux à la fureur invincible, courroux des dieux que seul un grand sacrifice pouvait calmer.

Abraha Pokou s'avança jusqu'à la berge et montra le corps de son fils. Elle se pencha et le laissa tomber dans les eaux.

« *Ba-ou-li* » : « L'enfant est mort ! »

Et soudain, les flots se turent. Les hippopotames sortirent. Côte à côte, ils formèrent un pont robuste, pont vivant sur lequel le peuple traversa sain et sauf.

Quand Abraha Pokou arriva sur la terre nouvelle, le cœur éclaté à l'intérieur de sa poitrine, l'esprit paralysé par l'irréversibilité de son acte, le peuple se prosterna à ses pieds en pleurant. Et les eaux se refermèrent pour toujours.

Les sages, les devins, les oracles se redressèrent. Le plus digne d'entre eux parla au nom de tous : « *Ba-ou-li* : l'enfant est mort ! Nous nous appellerons Baoulé afin que nul n'oublie jamais que, pour nous, tu as accepté de donner la chair de ta chair. »

Mais à présent que les eaux s'étaient refermées sur l'enfant, ce fut Abraha Pokou qui tomba à genoux. Elle ne voulait plus avancer. Elle s'écria : « Aucun royaume ne vaut le sacrifice d'un enfant ! » Elle pleura. Finalement, elle se jeta à terre et se mit à rouler de gauche à droite en se tenant la tête entre les mains. D'un coup, elle arracha son pagne, dévoilant sa nudité aveuglante. Elle se tira les cheveux, se griffa la peau. Le sang coulait, se mêlant à la sueur et à la poussière.

Alors, les muscles d'Abraha Pokou se raidirent. Elle resta silencieuse, immobile.

Le peuple la regardait, impuissant.

Après un long moment, elle se releva lentement. Puis, soudain animée par une force supérieure, elle courut vers le fleuve et, sans que personne eût le temps de la retenir, plongea dans les flots tumultueux.

Le peuple sut alors qu'il avait perdu sa reine pour l'amour d'un enfant.

Abraha Pokou fendit la surface du fleuve, dans un plongeon extraordinaire. Elle nagea à la recherche de son fils et, quand elle vit son corps menu allant à la dérive, elle le saisit par la taille, continua à nager, atteignit l'embouchure du fleuve et rejoignit la haute mer.

Les jours, les mois, les années passèrent. Elle réussit à conquérir un royaume plus beau encore que celui qu'on lui avait promis : à présent, mi-femme, mi-poisson, déesse incontestée de l'univers sous-marin, reine des océans.

Le ventre de la mer est un vaste utérus.

Ainsi son royaume devint celui des eaux, royaume mouvant, changeant selon les lunes, le vent, l'ardeur du soleil. Courants chauds, courants froids se rencontrant dans le tumulte pour former une zone trouble, une révolution permanente. Copulation des ondes, cristaux liquides, miroirs multiples, trésors de coquillages et de coraux, algues translucides, galets polis par les âges pour donner une douceur chaude et rassurante.

Chaque jour, le roulement des vagues de la haute mer chantait ses louanges, plus fort que les tam-tams parleurs, plus haut que la voix du peuple à l'unisson.

Nul besoin de frapper la peau d'un tambour, le clapotis de l'eau était un refrain enchanteur.

Reine ou déesse, qu'importait son nom à présent, qu'importaient son visage, son corps, sa peau, sa chevelure, son regard de méduse ?

Des grottes magnifiques formaient un palais aux cavernes musicales. Sur l'horizon en fête, le soleil s'étendait auprès de la reine.

L'océan n'était jamais semblable, un jour turbulent, un autre calme comme un lac endormi. La monotonie du temps n'existait pas.

Elle parcourait les fonds marins, portée par les bancs de poissons, caressée par les algues. Éclats argentés, jaunes et phosphorescents.

À la surface, les fidèles pleuraient la disparition de leur reine et du prince héritier. Des piroguiers emportaient les prêtres au large des côtes afin qu'ils déposent leurs prières sur la crête des vagues :

Mère splendide,
Pourquoi caches-tu ta beauté
Sous les flots ?
Ramène la paix dans nos cœurs.
Donne-nous un peu d'espoir.
Fais revenir le bonheur
En nous accordant ton pardon.

Depuis la rive, le peuple observait anxieusement le mouvement des eaux.

La mer prenait une couleur bleu-vert et dansait avec la clarté. L'écume dessinait des formes mystérieuses, mais de la reine, aucun signe.

Jour après jour, les prêtres revenaient de leur sortie en mer, le visage sombre.

Alors les tambours confirmaient une fois de plus l'absence de la reine.

« Pas encore, disaient les sages. Le temps n'est pas venu. Elle ne nous a toujours pas pardonné. »

Un grand soupir de déception parcourait l'assemblée.

Et pourtant, certains hommes savaient que la reine n'était pas loin. Promeneurs imprudents se hasardant sur la plage après la tombée de la nuit, ils l'avaient vue, rencontrée sous la lune.

Son regard caressant et son corps voluptueux les avaient submergés de désir. Elle s'était approchée d'eux avec grâce, les avait touchés puis enlacés. Ils étaient restés avec elle, en elle, jusqu'au matin. Sable tiède, lit nuptial.

Ainsi, elle prit possession d'eux : l'esprit par les yeux, le corps par le sexe.

Ces hommes devenaient incapables d'aimer. Aucune femme ne savait assouvir leur soif, récompenser leurs envies, accomplir leurs rêves. Ils avaient perdu l'essentiel de leur vie – un bonheur absolu.

Dans leur sommeil, ils se laissaient emporter par une tempête, un tourbillon de sensations charnelles. Leur esprit demeurait enchaîné au souvenir d'un plaisir si grand qu'il mettait leur vie en danger. Tabou que rien ne pourrait jamais surpasser.

Le secret qu'ils gardaient les torturait, les séparait des autres. Ombres de ce qu'ils avaient été jadis, les amants d'une nuit dépérissaient à vue d'œil, perdaient leur énergie et leur désir de vivre. Des hommes magnifiques aux corps d'athlètes maintenant décharnés, tels des fruits vidés de toute saveur, de toute substance.

La séduction de la déesse était entière, sans limites. Personne ne pouvait lui résister. Les femmes dont elle s'approchait succombaient également à son extraordinaire beauté, étourdies par sa présence parfaite. Et quand, après les avoir connues, elle disparaissait pour toujours, ses compagnes, éperdues de chagrin, étaient prises d'une nostalgie immense, inconsolable. Elles cessaient toute activité pour se mettre à sa recherche, marchant d'un pas déterminé, courant ici et là, jusqu'à s'écrouler de fatigue. On les retrouvait le plus souvent seules, dénudées et recroquevillées sur le sol.

Ces femmes-là, ces hommes-là ne faisaient plus partie du peuple. Âmes en peine, écrasées par le secret.

Amante aussi puissante dans ses pulsions que dans son instinct maternel. Généreuse, destructrice. Haute comme les vagues en effervescence. Seul le soleil aurait pu l'arrêter.

L'enfant-océan était là, près d'elle, le fils du sacrifice et de l'amour. Celui au côté duquel elle revenait toujours après ses chevauchées.

L'eau est sans forme et sans couleurs. La lumière ne la touche pas. Les ténèbres ne l'affectent point. Qui peut la tenir dans sa main ? Qui peut lui ordonner de rester en place ? L'enfant se sent heureux dans l'eau comme au premier instant de son existence, dissimulé dans le sexe de sa mère.

L'enfant-océan resterait pur de toute souillure, des blessures que les hommes s'infligeaient sans relâche, du venin qui empoisonnait leur vie, des mauvaises paroles qui les défiguraient.

Elle n'aurait jamais dû laisser son fils quitter le monde clos de sa matrice. Il serait demeuré là, protégé par la carapace de son corps et la chaleur de son sang.

L'enfant était mou. Sa colonne vertébrale avait disparu. Sa peau translucide laissait apparaître un système veineux rouge fluorescent. Ses yeux étaient d'un blanc laiteux, ses mains et ses pieds palmés.

Il n'allait plus grandir, plus quitter cet univers aquatique. Il ne voulait pas sécher à l'air libre, devenir dur, osseux, méchant. Ne pas perdre la fraîcheur de son innocence. Le feu du soleil et des hommes était bien trop intense.

Il se nourrissait de plancton. Nulle parole ne quittait sa bouche. Nul souvenir ne venait troubler son esprit. Le temps était sous-marin et l'enfant nageait dans une quiétude merveilleuse prenant sa source dans la fluidité alentour. Invité des dieux.

L'enfant avait été happé par un destin invisible. Messager de l'au-delà, il était voyageur entre deux mondes.

PARTIE II : LE TEMPS DU QUESTIONNEMENT
CHAPITRE 1 : ABRAHA POKOU, REINE DÉCHUE

COMPRENDRE

Définissez les termes suivants : *déchue* (p. 36) ; *englouti* (p. 36) ; *érigé* (p. 36) ; *lumière blafarde* (p. 38) ; *recroquevillé* (p. 38) ; *de surcroît* (p. 40) et *tumulteux* (p. 45).

ANALYSER

I. Progression du chapitre ou du 1er scénario

1. Pourquoi la narratrice parle-t-elle d'exil (p. 36) ?
2. De quoi/qui la reine est-elle orpheline ? En quoi est-ce paradoxal (p. 36) ?
3. En posant la question qui suit, sur quoi l'auteure s'interroge-t-elle : « Pourquoi faut-il toujours que les femmes voient leurs fils partir ? Que leur amour ne soit pas assez fort pour arrêter la guerre, pour empêcher la mort ? » (p. 42).
4. Quelle image Véronique Tadjo donne-t-elle de la maternité ? De la femme comme mère (p. 45) ? Appuyez-vous sur le texte pour répondre.
5. Dans « Le temps du questionnement », Véronique Tadjo entreprend de réécrire plusieurs possibilités de scénarios alternatifs. Dans ce 1er chapitre-scénario, quel destin est donné à la reine Pokou ?
6. Quelles sont les implications de sa décision ?

II. La nature et l'atmosphère

1. Décrivez le fleuve Comoé. Comment apparaît-il (p. 37) ?
2. Quels autres éléments naturels contribuent à créer une tension autour de l'attente et de l'épisode. Comment est la lumière ? Relevez les figures de style utilisées pour créer une impression dramatique (pp. 37-38).

3. Comment sont décrits les arbres ? Les animaux ? Quels animaux sont présents (p. 38) ? Ont-ils une signification particulière dans les légendes populaires ?
4. Quels épisodes de la légende sont repris ? Qu'est-ce qui change dans cette version de la légende ?
5. Comment le fleuve réagit-il une fois l'enfant jeté dans les eaux (pp. 42, 44) ?
6. Comment sont les eaux une fois que la reine y a plongé pour retrouver son enfant (p. 47) ?
7. Qu'advient-il du peuple ? Comment réagit-il à la disparition de la reine (p. 48) ?
8. Commentez l'extrait qui suit :
   « L'enfant-océan resterait pur de toute souillure, des blessures que les hommes s'infligeaient sans relâche, du venin qui empoisonnait leur vie, des mauvaises paroles qui les défiguraient (p. 50). »
   Dans l'extrait ci-dessus, quels termes sont utilisés pour souligner le contraste entre la pureté de l'enfant et la méchanceté des hommes ? Qu'est-ce que l'auteure essaie de montrer à travers cette opposition ?

ÉTUDIER LES PERSONNAGES

1. Quel portrait l'auteure fait-elle ici de la reine Pokou avant de sacrifier l'enfant ? À quoi est-elle comparée (p. 41) ?
2. Quels sont les différents qualificatifs donnés à l'enfant (p. 41) ? À l'amour maternel (pp. 43-44) ?
3. La Mamy Wata, qui comme l'indique son origine pidgin (*Wata* pour *Water*) est associée à l'eau. Elle est souvent représentée sous les traits d'une femme très belle, quelquefois mi-femme mi-poisson. Elle est également décrite comme un être surnaturel aux pouvoirs redoutables. Elle séduit et ensorcelle les humains par sa beauté, les poussant à certaines actions et pouvant les entraîner avec elle dans le monde marin.
   Quel portrait l'auteure fait-elle de la *Mamy Wata-Pokou* (pp. 48, 49, 50) ?
4. Quel portrait l'auteure fait-elle de « l'enfant-océan » (pp. 50-51) ?

5. Quel nouveau portrait se dégage de la reine Pokou devenue « déesse incontestée de l'univers sous-marin » (p. 46) ?
6. En quoi et comment l'eau s'impose comme personnage ? Véronique Tadjo utilise à plusieurs reprises les images du fleuve, de la mer/océan. En quoi devient-elle métaphore de la figure maternelle : relevez les termes qui permettent de développer la métaphore (p. 46).

POUR ALLER PLUS LOIN

1. Quelle image de la condition de mère se dégage ici ?
2. Quelle vision est ici donnée de la maternité ? Du statut de la femme et de sa place dans la société comme épouse ? Comme mère ? Comme femme au pouvoir ?

ÉCRIRE

1. Imaginez le dialogue entre Pokou devenue *Mamy Wata* et son *enfant-poisson* au moment de leurs retrouvailles.
2. Imaginez ce que disent les hommes et femmes qui suivent *Mamy Wata-Pokou* et la rejoignent dans le fleuve.

RECHERCHER

Documentez-vous sur les droits des femmes en tant que mères dans votre pays. Y a-t-il des facilités ou des contraintes spécifiques pour les études lorsque l'on est mère ? Est-ce que cela change si l'on est mère célibataire ?

LA TRAVERSÉE DE L'ATLANTIQUE

Et si Abraha Pokou avait refusé le sacrifice ? Si, au contraire de ce que dit la légende, la reine avait refusé de donner son fils unique en offrande au Génie du fleuve dont les eaux barraient l'avancée du peuple en fuite ?

Elle se cabra, redressa la tête et déclara haut et fort : « Non, je ne sacrifierai pas mon fils ! Je veux le voir grandir. Je veux qu'il devienne un homme. Et le moment venu, ce sera lui qui préparera ma tombe. »

Les fugitifs l'écoutaient dans un silence chargé de craintes. La reine savait-elle ce qu'elle faisait ? Avait-elle bien pesé les conséquences de sa décision ? Contrarier les dieux n'apportait que détresse et calamité.

Ignorant le devin qui voulait intervenir, Pokou continua : « Je refuse de jeter mon enfant dans les flots tumultueux de la Comoé. Ne me demandez pas cela. Nos guerriers sont courageux. Ensemble, nous réussirons à nous défendre contre cette armée à la haine tenace ! »

Alors, les préparatifs commencèrent. D'abord, cacher enfants et vieillards dans le ventre de la forêt : troncs d'arbres séchés, buissons, hautes herbes, fougères, ravins, partout où un corps pouvait se dissimuler. Les femmes furent appelées au combat.

Bons stratèges, les guerriers de Pokou organisèrent des embuscades. Une partie des combattants allait simuler une progression le long du fleuve pendant que les groupes les mieux armés se tiendraient prêts à frapper l'ennemi par-derrière. Une série d'attaques surprise devait entraîner suffisamment de pertes pour obliger les adversaires à battre en retraite, donnant ainsi à Abraha Pokou le temps d'atteindre un gros village à quelques heures de là. Elle allait y négocier sa protection et celle de ses partisans. Les éclaireurs avaient déjà annoncé sa venue.

Tout se passa comme prévu. Lorsque l'armée du roi atteignit la rive du fleuve, l'ardeur au combat des guerriers et des amazones de Pokou compensa largement le nombre plus important de leurs ennemis. Ceux-ci s'attendaient à trouver un peuple tremblant et affaibli par plusieurs jours de marche dans la forêt. Pris au piège, ils perdirent de nombreux hommes qui ne s'étaient pas préparés à un tel affrontement. Leur chef touché grièvement, ils partirent à la débandade en promettant de se venger.

« Vous ne nous échapperez pas ! Nous allons revenir vous dépecer, vous massacrer ! »

Les fidèles de Pokou achevèrent les blessés, ensevelirent leurs morts et se remirent en marche rapidement. Ceux qui étaient touchés mais qui pouvaient encore être transportés le furent sur des brancards de fortune.

En fin de journée, la colonne atteignit le gros village que les éclaireurs avaient repéré. Des cases bien rangées émanait une atmosphère de paix et d'abondance. Les habitants sortirent à leur approche. Abraha Pokou se présenta à eux, son fils dans les bras. Elle fut conduite chez le chef du village avec lequel elle s'entretint longuement. Il alla ensuite consulter ses notables. Quelque temps après, Abraha Pokou fut amenée devant l'assemblée. Les politesses d'usage terminées, le porte-parole du chef s'adressa directement à elle :

« Vous êtes venus avec la guerre. Nous ne pouvons pas vous abandonner dans la forêt. Cela irait à l'encontre de nos traditions. Nous nous souvenons très bien qu'Opokou Waré, ton frère, était un bon monarque. Nous allons donc trouver de la place dans notre village pour toi et tes partisans. Vous allez boire, manger et dormir. Quand vous aurez repris des forces, vous pourrez repartir. Nous vous indiquerons le plus sûr chemin pour contourner le fleuve. »

Les villageois traitèrent les nouveaux arrivés avec hospitalité. Ils les installèrent à l'intérieur de leurs concessions ou dans leurs cases quand ils avaient de la place. Ils les aidèrent également à soigner leurs blessés.

Un sentiment de réconfort gagna les fugitifs. L'espoir semblait encore possible. Une vie différente, des terres fertiles les attendaient de l'autre côté du fleuve. Leur calvaire n'avait pas été vain.

La lune rayonnait de son ardeur jaune pâle.

Soudain, une lueur étouffante tira les dormeurs de leur lourd sommeil. Les cases brûlaient. Une épaisse fumée s'élevait jusqu'au ciel. Les villageois sortirent en courant et furent accueillis par les soldats du roi, dont les fusils crépitaient dans un vacarme assourdissant. Les balles sifflaient de tous les côtés.

Nul endroit où fuir. Aucune pitié possible. Le sang ! Le sang !

Chairs carbonisées, cadavres. Le village flambait et sa destruction illuminait l'obscurité entière.

Les survivants furent regroupés sous le grand fromager. Les membres du village, le chef à leur tête, durent prêter allégeance aux vainqueurs pour avoir la vie sauve. Parmi les prisonniers, l'enfant-roi pleurait contre sa mère, elle qui savait si bien qu'un sort pire que la mort leur était réservé.

L'armée de Kumasi les avait poursuivis, refusant d'abandonner sa proie. À présent, ils allaient être vendus, pieds et poings liés, à des hommes de pierre.

Le général de l'armée royale ne pouvait contenir son mépris envers Pokou : « Si cela ne tenait qu'à moi, je t'aurais déjà tranché la tête et je l'aurais exhibée devant toute la population de Kumasi ! Mais le roi m'a ordonné de ne pas verser ton sang. Tu iras pourrir ailleurs ! »

Enchaînés, maltraités, les captifs savaient que chacun de leurs pas les rapprochait d'un destin funèbre. Auraient-ils dû négocier au lieu de se battre ? Accepter qu'ils ne pourraient jamais se rebeller contre la puissance du roi ? Ne valait-il pas mieux mourir tout de suite au lieu de passer le restant de leurs jours à souffrir entre les mains d'êtres cruels et barbares ?

Bientôt, les yeux rougis par la douleur, ils découvrirent l'océan, immense, violent, insondable. Les hommes à la peau de linceul étaient eux aussi présents au rendez-vous. Ils tournaient autour de la marchandise :

Compter les dents, tâter les muscles.
Séparer les hommes des femmes.
Rejeter les blessés, les malades, les chétifs.
Garder quelques enfants.
Marchander, emporter.

Le navire, spectre noir sur la mer endeuillée. Silhouette tanguant d'impatience, exécutant une danse macabre et révoltante.

Les esclaves, nus sous le regard des étrangers, savaient que leur passé avait disparu. La mer les encerclait. Leur terre s'éloignait.

Dans les cales, corps contre corps, ballottés par les vagues, ils se heurtaient aux parois humides. Le sel creusait les plaies. Les excréments pourrissaient les chairs. Puanteur irrespirable. Vomissures. Seuls les rats célébraient l'abondance.

Oh, l'immensité de la mer !

Sur le pont, soudain projetés dans la lumière, les esclaves étaient aveuglés par le bleu d'un ciel indifférent à leur malheur. Parfois, un long hurlement annonçait le plongeon d'un homme décidé à arrêter là le voyage. Le festin des requins pouvait commencer.

La nuit. Femmes tirées hors des cales, cuisses ouvertes de force, sexes perforant l'intérieur de leurs corps, fécondant les disgrâces futures.

Le grand exil, n'était-ce pas cet épuisement, cette odeur de sang, et cette soif, oui, cette soif au milieu de l'étendue liquide ? La colère détruisant les fibres de l'âme, éclatant en une peine irrépressible.

Vivre ou mourir ?

Ils avaient perdu leur visage, leur nom, leurs lendemains. On les avait vidés de leur force. Il ne leur restait plus rien.

Pokou luttait pour ne pas sombrer : « Non, ce n'est pas à nous que tout cela arrive. »

Un matin, les esclaves furent rassemblés sur le pont. Un soleil glacé touchait leur peau. Les narines palpitantes, ils humèrent l'odeur d'une terre inconnue.

Aspergés d'eau, frottés, puis huilés, ils tremblaient de froid. L'équipage leur servit des rations doubles.

Quand ils descendirent du navire et posèrent les pieds sur le sol étranger, il leur sembla que tout autour d'eux, les bâtiments, les hommes, les arbres, criait la séparation. L'arrivée.

Quel châtiment ? Quelle malédiction ? Quelle faute méritait une telle déchirure ?

Avec le temps, les corps prirent le dessus : boire quand la gorge était sèche, manger quand la faim s'imposait, dormir quand la fatigue l'exigeait. Travailler jusqu'au bout des forces. Chasser les souvenirs devenus agonie et dépasser la souffrance. Chants mélancoliques.

Point de forêt sacrée. Point de masques. Point de mystère. Privées de la semence des Ancêtres, de leur protection, les plantations n'étaient que surfaces à cultiver, vastes prisons.

L'esclave au front haut, Abraha Pokou, enseignait encore à son fils devenu homme les quelques mots qui lui restaient de la langue d'avant. Sa mémoire s'éveillait, égrainait les souvenirs comme un chapelet de pierres précieuses. Mais une ombre funeste descendait sur son esprit quand elle se rappelait la grande trahison. Pourquoi les avoir vendus ? Pourquoi les avoir ainsi condamnés à la détresse pour quelques fusils et des pacotilles ?

Les esclaves étaient seuls devant leur sort. Seuls devant les maîtres blancs.

La solitude ne les quittait plus, les poussant inexorablement vers le précipice. Il leur fallait trouver la force de vaincre la violence menaçant de les engloutir. Ne pas se laisser emporter. Toujours tenter l'impossible : trouver un peu d'amour, d'amitié ou de tendresse. Envers et contre tout rêver encore au voyage du grand retour.

Un jour, telle une lourde pierre, un enfant tomba du ventre d'Abraha Pokou. Garçon au sang mêlé, couleur de sable et de paille. Et il grandit auprès d'elle, plante parasite, dévorant l'amour récalcitrant de sa mère et l'affection de son frère, né prince, murmurait-on.

Dieu à la peau blanche. Anges immaculés. Diable noir.

À quoi servait la souffrance ?

Un sauveur viendrait-il un jour les délivrer ?

Le temps s'était égaré. Les morts avaient quitté les vivants. Les Ancêtres étaient mangés par l'oubli. De nouvelles croyances s'imposaient.

La rébellion était une tentation permanente, ses promesses de liberté, plus belles que celles de la soumission. Empoigner la violence et sauter dans le vide. Ne pas mourir sans avoir combattu, sans avoir bravé le danger. Lutter.

Pokou avait élevé ses fils dans le refus de la soumission. Elle leur avait appris à ne pas accepter la vie telle qu'elle était.

Comploter l'insurrection ! Scander des paroles de révolte :

Je suis un esclave nègre,
Je vais prendre les armes
Et tirer !
Je n'irai pas au paradis,
Mais cela m'importe peu.
C'est en enfer
Que se trouvent mes amis !
Je suis un esclave nègre,
Je vais prendre les armes
Et tirer !
Je risque de mourir
Mais cela m'importe peu
C'est la liberté que je veux !

Les deux fils de Pokou vivaient tourmentés par une envie profonde de se rebeller. Ils ne possédaient rien. Ils n'étaient rien. Ils n'attendaient plus rien. L'éclatement de leurs jours était intolérable.

Et ce qui devait arriver arriva : ils découvrirent la cache d'armes de la plantation, s'emparèrent des fusils et des pistolets, les distribuèrent à leurs complices, puis passèrent à l'attaque. Après avoir tué le maître, sa femme et leurs enfants, brûlé la grande demeure et détruit les symboles du pouvoir blanc, ils coururent à travers la plantation, frappant à toutes les portes pour encourager les autres esclaves à prendre la fuite. Enfourchant des chevaux, les fils de Pokou se sauvèrent avec leur mère en direction des montagnes.

Mais déjà, l'alarme avait été donnée. Pris en chasse par les planteurs des environs, la majorité d'entre eux fut rattrapée ou mourut sous les balles. Les chiens plongèrent leurs crocs dans les chairs de ceux qui tombèrent.

Capturés, les deux fils d'Abraha Pokou furent pendus et leurs corps traînés dans la poussière à travers les plantations alentour.

Plus tard, la légende dira qu'une poignée d'hommes et de femmes réussit à s'échapper et à fonder une colonie d'esclaves marrons, installée sur les flancs arborés d'une montagne.

L'histoire de leur fuite se raconte encore aujourd'hui.

À la tombée de la nuit, Abraha Pokou, mère esseulée, lançait ses lamentations :

Mon âme a beaucoup voyagé.
Mes yeux ont vu tous les matins.
J'ai été ballottée, ballottée,
Tel un navire dans la tempête.
Mes ancêtres m'ont quittée.
Où va-t-on enterrer mes os ?
Mon âme a beaucoup voyagé.
J'ai été ballottée, ballottée,
Tel un navire dans la tempête.
Mais aujourd'hui je goûte
Aux fruits de la liberté.
Ô liberté si douce, si amère !
Je t'ai tout donné.

Pokou ouvrait les mains en signe d'offrande. Car n'était-elle pas guérisseuse, mère-terre, gardienne des douleurs les plus anciennes ?

PARTIE II : LE TEMPS DU QUESTIONNEMENT
CHAPITRE 2 : LA TRAVERSÉE DE L'ATLANTIQUE

COMPRENDRE

Définissez les termes suivants : *stratèges* (p. 56) ; *embuscades* (p. 56) ; *débandade* (p. 56) ; *calvaire* (p. 57) et *des pacotilles* (p. 61).

ANALYSER

I. Progression du chapitre ou du 2e scénario

1. Résumez et donnez un titre au 2e scénario.
2. Que signifie « la grande trahison » (p. 61) ?
3. Comment Véronique Tadjo lie-t-elle la légende de la reine Pokou à l'esclavage, notamment à la traite négrière ?
4. À quoi renvoie la question initiale de Pokou, « vivre ou mourir » (p. 60) ? En quoi les deux expériences sont-elles comparables ?
5. Dans ce 2e chapitre-scénario, quel destin est donné à la reine Pokou ?
6. Dans ce scénario de révolte, qu'arrive-t-il à la reine Pokou ? À ses fils ?
7. Quels aspects de l'esclavage souligne-t-elle ?
8. Quelles questions pose ici Véronique Tadjo ? Que veut-elle montrer ?

II. Les circonstances et l'atmosphère

1. Comment l'auteure rend-elle le sentiment d'exil ? Relevez précisément des expressions du texte.
2. Quelles figures de style (comparaison, métaphores ou métonymie) Véronique Tadjo développe-t-elle pour évoquer l'esclavage dans l'extrait qui suit ?

   « Dans les cales, corps contre corps, ballottés par les vagues, ils se heurtaient aux parois humides. Le sel creusait les plaies. Les excréments pourrissaient les chairs. Puanteur irrespirable. Vomissures. Seuls les rats célébraient l'abondance (p. 59). »

3. Comment comprenez-vous le passage suivant ?
   « Point de forêt sacrée. Point de masques. Point de mystère. Privées de la semence des Ancêtres, de leur protection, les plantations n'étaient que surfaces à cultiver, vastes prisons (p. 61). »

ÉTUDIER LES PERSONNAGES

1. Sur quels aspects Véronique Tadjo insiste-t-elle dans sa description des hommes et des femmes ? Comment montre-t-elle la déshumanisation des personnages ?
2. Qu'apporte l'introduction d'un nouveau fils de Pokou à l'histoire ? Faites le portrait des deux fils.
3. Comment l'auteure montre-t-elle que les deux fils sont prêts à se révolter ? Sur quels aspects insiste-t-elle ?
4. Comment Véronique Tadjo incorpore-t-elle l'épisode de la « révolte des nègres marrons » ? Qui prend la tête de la rébellion ?
5. Quelle est l'image de Pokou ici ? À quoi est-elle comparée ?

POUR ALLER PLUS LOIN

1. Lorsqu'elle dit : « À quoi servait la souffrance (p. 62) ? », que veut-elle montrer ?
2. Quel est le rôle de la mémoire dans ce scénario ? Pourquoi ne faut-il pas oublier ?
3. Quelles sont les implications de : « De nouvelles croyances s'imposaient (p. 62). » ? Comment comprenez-vous cette phrase ?

ÉCRIRE

Imaginez Pokou racontant à ses fils l'Afrique, la terre de leurs ancêtres. Que leur dit-elle ?

RECHERCHER

1. Recherchez les conditions de « la révolte des nègres marrons ».
2. Connaissez-vous d'autres textes littéraires ou films qui évoquent le commerce triangulaire et l'esclavage ? Comment en parlent-ils ?

Les fugitifs, arrêtés par le fleuve Comoé dont les reflets sombres abritaient caïmans et hippopotames, se regroupèrent pour écouter le devin et les injonctions du grand prêtre, détenteur des secrets.

Lorsque la nature du sacrifice exigé par l'Esprit des eaux fut révélée, ils restèrent pétrifiés de terreur. Puis, lentement, tous les regards se tournèrent vers Abraha Pokou.

Elle aurait voulu crier, mais sa langue restait collée contre son palais. Sa gorge était en feu. Malgré elle, des paroles réussirent à s'échapper de sa bouche sans qu'elle les entendît ou en comprît la portée. Pourtant, celles-ci allaient changer le cours de sa vie à tout jamais.

Dès lors, Pokou s'abandonna à la volonté des autres, se laissant porter, conduite vers le destin qu'ils lui avaient façonné. Un destin cousu de peine.

Et le corps de l'enfant holocauste s'enfonça dans les flots opaques, tandis que le peuple atterré regardait le fleuve se séparer en deux. Une bande de terre vierge se faufilant jusqu'à la rive opposée.

Les fidèles marchèrent entre les parois liquides.

Quand le dernier homme ferma la colonne, les eaux se rejoignirent dans un grondement torrentiel. On aurait dit que le fleuve allait quitter son lit pour se déverser furieusement dans la nature. Cependant, il reprit simplement son cours, bercé par le temps millénaire.

Après avoir conduit le peuple sur le sol de la liberté, Pokou s'effondra. Nul n'osait la regarder dans les yeux.

Le grand prêtre s'approcha d'elle et la releva doucement. Puis, se tournant vers les fidèles, il leur ordonna d'une voix tranchante de s'agenouiller devant celle qui était devenue leur reine. Ce qu'ils firent en baissant la tête.

Lorsque Pokou sembla avoir surmonté sa douleur, les fugitifs purent reprendre leur progression vers les terres promises.

L'atmosphère avait changé. À présent, des chants s'élevaient, les rires se faisaient plus fréquents, les paroles plus légères, les visages plus sereins.

Ils marchèrent sept fois sept jours à travers une forêt dense, mais accueillante, se frayant un chemin entre les plantes d'espèces variées et inconnues. Le sol spongieux amortissait leurs pas assurés. Des senteurs douces les enchantaient. Quand la lumière disparaissait sous l'épais feuillage des hauts arbres, les hommes préparaient un camp. Sur cette terre-refuge, il faisait déjà bon vivre.

Cependant, la ténacité de la reine n'avait pas diminué. Elle voulait continuer à marcher vite, très vite, comme s'ils étaient encore poursuivis par l'armée ashanti, n'accordant des haltes qu'à contrecœur. Il faut dire que les nuits ne lui étaient d'aucun repos puisqu'elle les passait les yeux ouverts, l'obscurité derrière ses paupières fermées étant plus effrayante que les cris des animaux de la forêt.

À refuser ainsi le sommeil, la raison de Pokou se mit à chavirer. Elle divaguait, parlait tantôt à voix basse, tantôt à tue-tête. Pendant des heures entières, elle ne s'adressait à personne sinon à elle-même.

La souveraine parlait de pouvoir et de sacrifice : « L'enfant est mort, l'enfant est mort ! » hurlait-elle en balançant fortement la tête d'avant en arrière.

Déjà son corps avait perdu beaucoup de sa féminité. Émaciée par l'exode, elle était si épuisée qu'il lui arrivait souvent de tituber. Quand les fidèles demandaient à s'arrêter parce que les plus âgés ralentissaient le pas et que les gamins pleuraient, elle criait : « L'enfant est mort ! Êtes-vous donc si lâches que vous ne pouvez même pas affronter la fatigue ? » Puis elle ajoutait en les toisant : « La mort serait bien trop douce pour vous, je maudis le jour où vous m'avez proclamée reine ! » Et elle se mettait à sangloter en se cachant le visage dans les mains.

Un soir, sur sa couche de fortune, Pokou se mit à transpirer à grosses gouttes et à claquer des dents, le front brûlant. Elle se cabrait, donnait des coups de pied dans le vide, hurlait.

Le guérisseur ne parvint pas à faire tomber la fièvre.

La nièce de Pokou, celle que l'on considérait un peu comme sa fille adoptive, essaya de la réconforter : « Calme-toi, l'enfant reviendra. Tu sais bien que son âme ne peut s'aventurer loin de la famille. Je la sens voltiger et flotter autour de nous. Tu sais bien qu'elle ne quittera pas le clan. Ton fils renaîtra à travers l'une d'entre nous. »

Voyant que la reine ne réagissait pas, elle continua :

« Hier soir, j'ai étalé des cendres devant ton abri. Ce matin, j'y ai découvert des traces de petits pas. Je te l'assure, il cherche à revenir. »

Pokou restait inconsolable.

Le grand prêtre annonça publiquement la vérité :

« L'esprit du prince défunt trouble notre reine. Il la harcèle, cherche toute son attention. Il est devenu tyrannique. Se sentant seul dans l'au-delà, il veut qu'elle le rejoigne. Son mécontentement se porte également sur tout le peuple baoulé. »

Après avoir parlé ainsi, il s'adressa directement à l'enfant :

« Petit prince, que veux-tu ? Que cherches-tu ? Ne vois-tu pas nos visages assombris et ta mère en pleurs, désespérée ? Penses-tu que si nous l'avions pu, nous n'aurions pas fait autrement ? Chacun d'entre nous éprouve un profond remords. Nous souhaitions te voir un jour sur le trône.

« Vous étiez inséparables. Penses-tu que si ta mère l'avait pu, elle n'aurait pas agi différemment ? Ne la harcèle plus, ne la fais plus souffrir.

« Écoute-nous, son tourment doit prendre fin ! »

Pour réconcilier Pokou et son fils, afin d'aider cette femme éplorée, cette reine tant aimée, les fidèles décidèrent d'agir.

Parmi eux se trouvait un sculpteur de grande renommée. Il fut chargé de réaliser une statuette à l'effigie du petit prince sacrifié.

En donnant le meilleur de son art, le sculpteur allait investir son œuvre d'une force évocatrice si grande qu'elle parviendrait à ouvrir un chemin entre le monde des hommes et celui des esprits. Ainsi, l'enfant ne manquerait pas d'entendre l'appel de sa mère.

Cependant, avant de commencer, l'homme talentueux se mit à l'écoute de la reine. Elle lui parla de son fils, de l'image qu'elle gardait encore dans son cœur et de son désir inassouvi de le revoir un jour.

Le sculpteur pénétra dans la forêt à la recherche d'un arbre dont le bois pourrait traduire la noblesse et l'innocence de l'enfant. Pas un de ces bois durs qui se fendent quand on a fini de les sculpter. Difficiles à vivre. Ni un de ces bois capricieux avec un côté chaud portant chance et un côté froid portant malchance. Non, il voulait un bois tendre et d'une espèce rare.

On lui avait demandé de prendre le temps nécessaire afin de donner à l'enfant la possibilité de se manifester dans l'objet en gestation.

La statuette qu'il présenta finalement était sobre et raffinée, taillée directement dans le cœur de l'arbre. Visage pur, corps plein et bien équilibré, peau d'un noir lisse, petites scarifications. Le sculpteur avait réalisé une œuvre exceptionnelle.

Le grand prêtre prononça les paroles de bienvenue en versant de la boisson sur le sol :

Depuis ton départ,
La paix n'existe plus
Dans le cœur de ta mère,
Dans le cœur du peuple.
Nous n'entendons que des pleurs.
Alors, accepte cette boisson et bois !
Nous souhaitons que la tristesse s'en aille.
Alors, accepte cette boisson et bois !

Abraha Pokou reçut la statuette enveloppée dans une pièce de coton. Elle la sortit délicatement de son enveloppe et la contempla. Son visage s'éclaira. Elle venait de reconnaître son fils.

Restée seule, elle déposa devant la figurine un pot noir contenant deux petits œufs blancs : « Voici ta nourriture, mange-la. Je t'en donnerai autant que tu voudras. Je te servirai à boire. Je m'occuperai de toi, toujours. »

La reine ne quitta plus jamais la statuette, l'esprit de son fils disparu. Elle la choyait, passait et repassait ses mains sur les formes, prenant plaisir à sentir la douceur du bois admirablement poli. Elle caressait tant l'objet qu'une belle patine se forma bientôt. On aurait dit que la figurine transpirait, qu'elle respirait doucement et que son haleine était suave. Les gestes de Pokou étaient empreints d'une grande tendresse.

Elle ne se sentait plus seule. Ce n'était plus Pokou la malheureuse, mais Pokou la mère comblée. Dans ses rêves, l'enfant venait lui rendre visite.

La reine se réveillait sans effort, habitée par la sérénité. L'apaisement, enfin.

Maintenant qu'elle se sentait mieux, la marche put reprendre. La statuette glissée dans son pagne, bien serrée contre son corps, son pas se fit de nouveau sûr, son port altier. La force revint se loger dans son regard.

La progression de la colonne était entrecoupée de pauses pendant lesquelles des cérémonies rituelles avaient lieu. Les fugitifs laissaient des offrandes le long de leur passage afin d'obtenir la protection des Génies de la forêt. De branche en branche, les singes suivaient la file des marcheurs, les accompagnant de leurs cris et de leurs mises en garde :

« Ne venez pas ici pour détruire l'équilibre. N'apportez pas avec vous le gâchis et l'avidité. Contrôlez vos désirs de conquête ! »

Et puis, un matin, ce fut la vision tant attendue.

Devant eux, une immense clairière.

L'herbe d'un vert tendre, les arbres chargés de fruits mûrs et les piaillements des oiseaux réjouissaient les sens. Au même moment, un troupeau d'éléphants traversa nonchalamment le territoire, leurs grandes oreilles battant l'air au rythme de leur marche.

« Cette terre est propice à la vie, dit l'oracle. Il y a de l'igname sauvage, des palmiers à huile et du raphia. Restons ici ! »

Au nom de tous, le grand prêtre demanda aux esprits habitant ces lieux de leur accorder la permission de s'installer sur leur sol. Les offrandes acceptées, il prononça les formules d'usage :

« Nous vous remercions pour votre hospitalité et votre générosité. Vous nous comblez en ôtant le malheur de notre vie. Nous saurons vous prouver notre gratitude et notre respect. »

Alors, à cet endroit précis, le peuple éleva une nouvelle cité, construisit une autre vie, trouva l'espoir.

À cet endroit précis, la reine Pokou fonda le royaume baoulé dont le rayonnement s'étendit bien au-delà de ses frontières naturelles.

PARCOURS 5

PARTIE II : LE TEMPS DU QUESTIONNEMENT
CHAPITRE 3 : LA REINE SAUVÉE DES EAUX

COMPRENDRE

Définissez les termes suivants : *ténacité* (p. 69) ; *chavirer* (p. 70) ; *divaguait* (p. 70) ; *toisent* (p. 70) ; *éplorée* (p. 72) ; *propice* (p. 75).

ANALYSER

I. Progression du chapitre ou du 3e scénario

1. Dans ce scénario, qu'arrive-t-il à la reine Pokou ? En combien de temps découperiez-vous ce scénario ? Donnez-leur un titre.
2. Quel type de bois le sculpteur cherche-t-il dans la forêt (pp. 72-73) ?
3. Décrivez la statuette. Quelles sont ses caractéristiques (p. 73) ?
4. Quelle est la fonction de la statuette ? Aidez-vous de cet extrait : « En donnant le meilleur de son art, le sculpteur allait investir son œuvre d'une force évocatrice si grande qu'elle parviendrait à ouvrir un chemin entre le monde des hommes et celui des esprits (p. 72). »
5. Que signifie le geste de caresser la statuette pour la reine (p. 74) ?

II. Les circonstances, l'atmosphère

1. Comment choisissent-ils le lieu du royaume baoulé ?
2. Identifiez les termes qui montrent qu'un nouvel équilibre est établi : « Alors, à cet endroit précis, le peuple éleva une nouvelle citée, construisit une autre vie, trouva l'espoir (p. 75). »

ÉTUDIER LES PERSONNAGES

1. Comment la douleur de Pokou après l'accomplissement du sacrifice de l'enfant, est-elle soulignée ? Relevez les termes qui indiquent sa transformation physique (p. 70).
2. Faites le portrait de la reine dans ce chapitre.
3. Quels nouveaux personnages apparaissent ici ?
4. Quel est le rôle du sculpteur ? De la statuette ?

POUR ALLER PLUS LOIN

1. Quelle valeur est ici donnée à l'art à travers cette statuette ?
2. Comment considérez-vous l'art ? Quel rôle lui voyez-vous ?

ÉCRIRE

1. Imaginez ce que dit la reine à la statuette lorsqu'elle lui parle.
2. Imaginez une chanson composée par les poètes de la cour, évoquant l'enfant, la tristesse de la reine Pokou inconsolable, comment la statuette finit par l'apaiser.

RECHERCHER

1. Recherchez les écoles et les institutions qui travaillent à la promotion de l'expression artistique dans votre pays. Y a-t-il une forme d'expression artistique développée plus particulièrement localement ?
2. Quel type d'expression artistique vous attire le plus ? Donnez des noms d'artistes que vous connaissez. Où et comment sont-ils reconnus ?

Tandis que les jeunes femmes de sa génération étaient accaparées par leurs nouveaux rôles d'épouses et de mères, Pokou préférait écouter les débats publics et étudier discrètement les activités des hommes. Son caractère s'était endurci. Elle se sentait prête à prendre son destin en main puisque personne ne semblait s'intéresser à son avenir.

Les hommes ressentaient de la gêne en sa présence. Peu d'entre eux osaient soutenir son regard et la majorité trouvait qu'elle avait un corps bien trop musclé pour une femme. Où étaient les chairs abondantes ? Les plis de la taille dans lesquels se dissimulaient les colliers de perles ?

En refusant de se prêter aux jeux de la séduction, Pokou eut la réputation d'être inaccessible et froide.

Le célibat devint pour la jeune femme une façon de vivre bien qu'allant à l'encontre de toutes les règles sociales.

Pourtant, Karim, un marchand des territoires désertiques, réussit à l'amadouer. Il s'habillait de magnifiques boubous blancs quand il se présentait à elle, chargé de présents venant de pays lointains. Avec lui, Pokou découvrait qu'un homme pouvait encore l'étonner et la ravir.

Un jour, il lui murmura de sa voix grave, de sa voix suave, qu'elle était sa reine, son obsession :

« J'irai chercher en toi l'enfant que tu attends depuis tant de saisons sèches. Quand je plonge mon regard dans tes yeux, je sais exactement où se cache ton bonheur. »

Lorsqu'il tendit la main pour la toucher, il vit qu'elle ne se rétractait pas, mais qu'elle semblait au contraire s'adoucir sous la pression de ses doigts.

Il poursuivit :

« Femme, aucun homme n'a compris ta beauté, la riche saveur de ton corps. Depuis que je t'ai rencontrée, je ne veux qu'une chose : te faire savourer la force de mon attachement. »

Il devint l'amant dont elle n'avoua l'existence à personne, bien qu'il fût le père de son enfant. Cet enfant si ardemment désiré.

Aucune question. Le bonheur de la future mère suffisait. De toutes les manières, le bébé appartenait à la famille.

Et lorsque vint le moment de l'exode, Karim accepta sans hésiter de servir de guide à Pokou et à ses partisans. Ses nombreux voyages du nord au sud lui conféraient une expérience inégalable.

Il ignorait cependant que, dans les territoires où ils devaient se rendre, la saison des pluies avait été particulièrement forte cette année-là, rendant la Comoé impraticable.

À la fin d'une longue et épuisante marche à travers la forêt, les fugitifs arrivèrent devant le fleuve. Ils crurent qu'ils étaient tombés dans un piège :

« Le marchand nous a trompés en nous conduisant jusqu'ici. Il veut nous livrer à la mort ! Nous n'aurions jamais dû mettre notre vie entre ses mains. Pokou a été mauvais juge. »

Le peuple grondait de colère et de frustration.

Le grand prêtre tenta de calmer la foule.

Il affirma que le sacrifice d'un enfant pourrait les sauver.

Déjà, Pokou s'avançait lentement en poussant son fils devant elle. Son visage portait une expression terrifiante. Le petit garçon marchait avec difficulté.

Karim s'écria :

« Arrêtez ! Au nom d'Allah, le Tout-Puissant ! »

Pokou lui ordonna de se taire immédiatement.

Le peuple commençait à s'impatienter.

Elle demanda à s'entretenir quelques minutes avec lui. Mais dès qu'ils se mirent à l'écart, le marchand fut le premier à reprendre la parole :

« Abraha, tu sais bien que la vie est sacrée. Dieu nous la donne et il n'appartient qu'à lui seul de nous la retirer. Combien de temps as-tu attendu cet enfant ? Les devins ne détiennent pas toujours la vérité. Je t'en supplie, ne commets pas une faute irréparable ! »

Mais les croyances de Karim n'étaient pas celles de Pokou. Elle estima que son intervention équivalait à un affront.

« Qui es-tu pour vouloir contrarier publiquement la volonté des dieux ? Je suis la mère de l'enfant et je l'aime, mais tu dois savoir qu'il ne m'appartient pas. Il appartient au peuple. Tu vois tous ces gens à bout de forces qui m'attendent sur la rive, là-bas, c'est pour les sauver que je dois le sacrifier. Je suis Abraha Pokou, descendante d'une lignée royale. De nouvelles terres nous sont destinées de l'autre côté du fleuve. Je ne puis décevoir l'espoir placé en moi. N'essaie pas de briser ma résolution !

– N'as-tu pas déjà assez fait ? N'as-tu pas déjà donné tout ce que tu avais pour la cause de ton peuple ? »

Ignorant sa question, Pokou répliqua fermement :

« Peu m'importe ce que tu penses. On ne donne jamais assez. Je dois faire ce sacrifice et personne ne pourra m'en empêcher !

– Même pas moi ?

– Même pas toi...

– Je ne te laisserai pas commettre un tel acte ! s'exclama-t-il encore. Je vous ai aidés, parce que je croyais en votre cause, mais à présent, je ne veux plus continuer. Cet enfant est aussi le mien, l'aurais-tu oublié ?

– Tais-toi ! Si nous pouvions nous dresser contre l'armée du roi, nos guerriers seraient déjà sur le champ de bataille. Mais tu sais très bien que nous n'avons aucune chance de gagner cette guerre. Alors, seuls les dieux peuvent nous venir en aide. Nous ferons ce qu'ils demandent. Et toi aussi, tu te plieras à leur volonté ! »

Pokou fit une pause.

« Ne me pousse pas à bout ! reprit-elle en le regardant fixement.

– Est-ce une menace ? demanda Karim, ébranlé par la brutalité du ton.

– Prends cela comme tu le veux. Mais fais très attention, malgré ce qui nous lie, je ne te permettrai jamais de défier nos traditions. Ma gratitude envers toi s'arrête là. Éloigne-toi, je n'ai de comptes à rendre qu'à mon peuple ! »

Voyant que ses partisans montraient à nouveau des signes d'impatience, Pokou tourna le dos et se rendit sur un rocher surplombant le fleuve. Une femme lui tendit son enfant qu'elle prit fermement par la main pendant qu'elle observait les flots en tumulte. La réverbération de l'eau l'aveuglait. Ses pensées la guidaient dans une direction qu'elle ne voulait pas prendre. Impossible à présent de résister au pouvoir qui s'offrait à elle sous sa forme la plus cruelle. Il fallait encore répandre la mort. Les cadavres qui avaient jonché le chemin de leur exode n'avaient pas suffi à apaiser l'appétit des dieux. Les râles des malades, les cris des blessés ne les avaient pas assez réjouis. Les douleurs passées n'étaient pas parvenues à atténuer leur tyrannie !

Elle craignait de lâcher la main de son enfant. Il s'était mis à pleurer et à gesticuler, effrayé par le comportement de sa mère.

Elle aurait dû s'attendre à l'intransigeance des dieux. Leurs constants marchandages, leur ingérence funeste dans les affaires des hommes étaient bien connus. Néanmoins, elle n'aurait jamais pu croire qu'un jour, ils lui demanderaient d'immoler son propre fils. Ne les avait-elle pas toujours honorés selon les rites traditionnels ? Était-ce le prix à payer pour devenir reine ?

La puissance porte toujours un masque grimaçant.

Pokou convoitait le pouvoir depuis longtemps. Elle s'en était approchée pas à pas, avec détermination, sachant qu'il lui faudrait un jour renoncer à tout pour l'obtenir. Maintenant, elle devait le saisir, il était là, devant elle. Son destin était de devenir reine. L'oracle l'avait prédit, le devin l'avait vu, le peuple le souhaitait.

Plus jamais un homme ne partagerait sa couche. Plus jamais un enfant ne viendrait troubler sa résolution. Elle n'hésiterait pas à éliminer tous ceux qui tenteraient d'ébranler son autorité.

On dit qu'une femme ne peut atteindre les hauteurs du pouvoir qu'en refusant l'enfantement.

Pokou avait-elle sacrifié son fils pour cette raison ?

La peur du sexe ouvert, de son humidité, du sang entre la vie et la mort.

L'homme qui entrevoit le tunnel obscur de la gestation, le secret de toute naissance, peut en mourir.

Lorsque les femmes se dévêtent pour danser nues sous le ciel, elles le font afin de conjurer le mauvais sort, afin de faire appel aux forces vitales.

Oui, c'était bien fini, Pokou ne serait plus jamais la même :

Le sang le plus épais
Est celui d'un être humain.
Le sang le plus rouge,
Le plus odorant,
Est celui d'un être humain.
Le sang est puissance.
Le plus grand sacrifice
Est celui d'un être humain.
L'ultime sacrifice est celui d'un enfant.

Le marchand fut ligoté, emmené dans la forêt et égorgé. Le garçon, on peut le redire, fut jeté dans les eaux du fleuve.

PARCOURS 6

PARTIE II : LE TEMPS DU QUESTIONNEMENT
CHAPITRE 4 : DANS LES GRIFFES DU POUVOIR

COMPRENDRE

Définissez les termes suivants : *accaparées* (p.78) ; *amadouer* (p. 78) ; *se rétractait* (p. 79) ; *un affront* (p. 81).

ANALYSER

I. Progression du chapitre ou du 4e scénario

1. D'où vient Karim ?
2. Dans la légende d'origine, le père de l'enfant est un guerrier. Ici, quel est son rôle ?
3. Quelle est sa fonction ? En quoi croit-il ?
4. Quelles sont les implications de la question suivante : « On dit qu'une femme ne peut atteindre les hauteurs du pouvoir qu'en refusant l'enfantement. Pokou avait-elle sacrifié son fils pour cette raison (p. 83) ? »
5. Quel est le sort de Karim ?
6. Dans ce scénario, qu'arrive-t-il à la reine Pokou ?

II. Les circonstances, l'atmosphère

1. Le récit est ici rythmé par différents moments autour de la rencontre de Karim, un « avant » et un « après ». Identifiez les termes qui renvoient à chacune de ces étapes : la transformation de la reine Pokou ; le temps de sa grossesse ; la réaction de Karim devant le sacrifice demandé et celle de la reine.
2. Comment la tension croissante est-elle montrée ?

ÉTUDIER LES PERSONNAGES

1. Quels nouveaux personnages apparaissent dans ce chapitre ?
2. Comment est représentée la reine Pokou dans ce scénario avant de connaître Karim ? Après avoir enfanté ?
3. Comment est représenté Karim ? Comment est décrit leur amour avant la demande de sacrifice ?
4. Pourquoi Pokou ne rend-elle pas sa relation avec Karim publique ?
5. Comment apparaît la reine Pokou dans sa décision ? Aurait-elle pu faire autrement ?

POUR ALLER PLUS LOIN

1. À travers ses paroles et ses actions, que montre la reine Pokou ? Que veut nous montrer l'auteure à travers cet exemple ? Comment réagissez-vous à la décision de la reine ? Justifiez votre opinion.
2. Comment est présenté le pouvoir ? Qu'en pensez-vous ? Le pouvoir est-il incompatible avec la vie de famille ?

ÉCRIRE

Dans ce scénario, Pokou dit que l'enfant est son enfant mais qu'il ne lui appartient pas (p. 81). Imaginez la conversation entre Pokou et Karim où elle lui explique son dilemme de reine. Comment lui explique-t-elle sa décision ?

RECHERCHER

1. Faites une recherche sur les femmes au pouvoir aujourd'hui. Quelles fonctions occupent-elles ? Quel est leur parcours ?
2. Quel est leur statut dans leur pays respectif ?

La légende, dit le poète, a aussi la dimension du mythe. Le fleuve était-il bien un fleuve ? L'armée ennemie n'était-elle pas en quelque sorte ce raz-de-marée dans lequel Pokou et ses partisans allaient se noyer ? Les soldats du roi prêts à se déverser sur eux, à les broyer et à leur faire éclater les poumons étaient-ils cette lame de fond qui allait les engloutir ?

Tout est possible dans la légende, la belle parole fabriquée pour apaiser le peuple, lui redonner confiance en l'avenir.

Et l'enfant ? Était-ce véritablement un enfant ? Ne symbolisait-il pas plutôt ce que le peuple avait de plus cher et qu'il fallait céder, abandonner pour ouvrir un passage entre les rangs de cette puissante armée ?

Les fidèles de Pokou frémissaient de peur. Déjà les ennemis étaient sur le point d'attaquer, les muscles tendus, prêts à décocher leurs flèches, jeter leurs lances, brandir leurs couteaux.

Le monarque triomphant voulait la défaite totale des rebelles. Détruire le présent et l'avenir. Plus que le trésor centenaire, plus que le siège sacré, plus que les objets de culte, il voulait la preuve irréfutable de leur soumission. Comment savoir ? Le symbole même de ce peuple : l'enfant, l'héritier du trône.

L'abandonnèrent-ils entre les mains de ce roi assoiffé de vengeance ?

Il est aussi possible que l'enfant sacrifié n'ait pas été le fils de Pokou, mais l'un de ses petits-neveux.

Et s'il s'était agi en fait d'un enfant d'esclave ?

Le destin du peuple en aurait-il été changé ?

Il n'y eut peut-être aucun enfant, mais plutôt un homme, jeune, une âme généreuse qui aurait de plein gré accepté de se sacrifier, convaincu qu'il donnait sa vie pour sauver les autres.

Pupilles écarquillées, souffle haletant, cœur battant et mains tremblantes, il aurait offert son corps aux dieux affamés.

Qu'en est-il de cet événement extraordinaire qui se produisit par la suite ? Les hippopotames surgissant de l'eau afin de former un pont, n'était-ce pas là l'image symbolique d'un pacte de paix, le roi acceptant de laisser la vie sauve aux partisans de Pokou ? Magnanimité. La victoire du monarque ne s'en trouvait que plus belle.

Pokou, libre enfin de s'exiler avec son peuple. Pokou, la négociatrice, forte d'avoir réussi à éviter un bain de sang.

Ce sacrifice dont la nature nous échappe est un secret gardé encore par la légende.

Les anciens sont là pour nous aider à défricher le champ de la mémoire. Les initiés en connaissent toute l'étendue. Mais c'est toujours à contrecœur qu'ils dévoilent les mystères. Tant d'entre eux sont morts en les emportant, fermant ainsi les portes du passé.

Aujourd'hui, la légende a perdu sa force magique pour n'être plus que d'une beauté froide et creuse. Certes, les paroles restent plaisantes, mais elles sont aussi devenues dangereuses, tournant dans l'air ici et là, sans savoir où se poser. Elles sont tranchantes. Elles pénètrent dans la tête des écoliers récitant, sans bien la comprendre, l'histoire de cette mère qui a sacrifié son fils.

Enfant dans la guerre. Demain, enfant-soldat.

Ainsi, dans les profondeurs de notre inconscient, le mythe dépouillé de sa sève suit son chemin.

Frayeur quand nous nous regardons en face, dans le magma de notre devenir.

Le mythe est sorti trop tôt de sa cachette. On l'a déshabillé à la hâte. On l'a défiguré, dénaturé, nous laissant à jamais pauvres d'un savoir tellement plus riche.

PARTIE II : LE TEMPS DU QUESTIONNEMENT
CHAPITRE 5 : LES PAROLES DU POÈTE

COMPRENDRE

Définissez : *irréfutable* (p. 87) ; *magnanimité* (p. 88) et *dépouillé* (p. 89).

ANALYSER

I. Progression du chapitre ou du 5e scénario

1. Qu'essaie d'imaginer Véronique Tadjo dans ce scénario ?
2. Que permet cette possibilité à Véronique Tadjo ?
3. Sur quels points montre-t-elle un doute ?
4. Que veut montrer ici Véronique Tadjo ?

II. Les circonstances, l'atmosphère/Personnages

1. Ce chapitre est relativement court. Quel est le ton de ce dernier chapitre de la partie II ? Relevez des termes qui contribuent à construire son atmosphère.
2. Quelle image est donnée du poète ? Sur quels traits l'auteure insiste-t-elle ?
3. Comment caractériseriez-vous ses paroles ? Quel est l'objectif du poète ?
4. Le poète a-t-il un rôle différent du sculpteur au chapitre 3 ?

POUR ALLER PLUS LOIN

1. La voix narratrice dit : « Tout est possible dans la légende, la belle parole fabriquée pour apaiser le peuple, lui redonner confiance en l'avenir (p. 87). » Qu'en pensez-vous ? Quels sont pour vous les fonctions ou le rôle d'une légende ? Justifiez votre réponse.
2. Qu'est-ce qui fait, d'après vous, la mémoire d'un peuple ?

ANALYSER

Y a-t-il d'autres légendes fondamentales dans l'histoire de votre région ? De votre pays ? Qu'illustrent-elles ?

SYNTHÈSE SUR LA PARTIE II :
LE TEMPS DU QUESTIONNEMENT

1. À quoi renvoie « Le temps du questionnement » ?

2. En combien de chapitres est-il divisé ? Quel titre donneriez-vous à chacun des chapitres ?

3. Quelles sont les questions redondantes de cette partie ?

4. L'auteure a imaginé plusieurs réécritures de la légende de la reine Pokou. Imaginez votre propre scénario. Comment changeriez-vous la légende ? Quelle variation introduiriez-vous et pourquoi ? Sur quoi voudriez-vous mettre l'accent ?

III
Le temps de l'enfant-oiseau

L'enfant étend ses ailes et s'envole.

Il monte haut, très haut, jusqu'à toucher le ciel. À deux doigts du soleil, son visage irisé rayonne de beauté.

Le soleil ne le brûle pas, ne le désagrège pas.

L'enfant-oiseau plane sur l'étendue du pays, regarde tout en bas. Les terres brûlent, les hommes grouillent, gémissent et pleurent. Il les voit implorer la clémence des dieux.

Il voudrait
Effacer la peur et la dévastation,
Laver le visage de ceux qui souffrent.
Glisser au-dessus de la terre,
Au-dessus des mers et des océans.

L'enfant-oiseau étend ses ailes, mais personne ne le voit.

Nul n'a conscience de son existence.

Pourtant, il est venu combattre les maux de tous les temps.

Les larmes coulent, le sang gicle.
Il entend tout : les cris, les supplications,
Le bruit des armes couvrant la voix humaine.
Il sent l'odeur de la haine, le parfum de la peur.

L'enfant-oiseau domine les falaises
Et les étendues désertiques.
Il possède la force de l'étonnement,
Le pouvoir de se renouveler.
Jamais il ne cesse d'avancer,
Le futur toujours avec lui,

Alors que les autres en sont encore
Aux balbutiements de leur existence.

Il s'en prend à la mort, lui parlant avec mépris :

« Tu as cru me supprimer comme tu l'as fait pour les meilleurs d'entre nous, réduisant leurs corps en poussière. Tu voudrais nous empêcher de garder leur souvenir vivace, mais tu n'y parviendras pas. Je suis autre maintenant et je ne me tairai plus. J'ai grandi, mes ailes ont poussé, ma puissance s'est révélée. Si tu peux me voir, tu sais que ma tête touche le ciel et que je respire les nuages.

« Homme, femme, oiseau. Je suis le vieillard, enfant du jeune homme. Je suis le jeune homme, fils de l'enfant. Issu de la brousse et de la forêt, de la ville bondée. »

Il baisse les yeux et regarde encore une fois la terre.

Un long serpent noir ondule sur le sol, se cache dans les hautes herbes, puis réapparaît, prêt à frapper.

Le reptile se faufile dans les maisons, mord les habitants, ressort et va dans la foule des marchés et des attroupements. Les gens succombent dans d'atroces souffrances, sans savoir pourquoi, surpris en pleine clarté. La terre est saccagée, les bâtiments s'effondrent.

Amulettes, paroles rituelles et signes magiques sont dérisoires. Et tout ce qui corrompt a pris position dans le cœur des hommes.

L'enfant-oiseau dessine de larges cercles concentriques au-dessus de l'animal dont les écailles luisent sous la lumière puis, en un éclair, s'abat sur lui.

Il est aussi lourd qu'une montagne.

Le serpent se tortille, tente de s'échapper, siffle, crache son venin, mais reste cloué au sol, impuissant.

Et l'enfant-oiseau rit, lève les bras au ciel.

Il a vaincu la bête.

PARCOURS 8

PARTIE III : LE TEMPS DE L'ENFANT-OISEAU

COMPRENDRE

Définissez les termes suivants : *irisé* (p. 94) ; *gicle* (p. 94) ; *vivace* (p. 95).

ANALYSER

I. Progression de la partie

1. Sous quels autres angles Véronique Tadjo approche-t-elle encore la légende ?
2. Quelle est la valeur de l'utilisation du présent comme temps grammatical ?
3. Quel rôle a « l'enfant-oiseau » ?
4. Quelles différence ou progression voyez-vous entre « l'enfant-océan » (voir Abraha Pokou, reine déchue, pp. 36-51) et « l'enfant-oiseau » ?
5. Peut-on dire que cette partie se termine sur une note d'espoir ? Pourquoi ?
6. Quelle est la valeur attribuée à l'enfant ?

II. Les circonstances, l'atmosphère

1. Relevez des termes qui rendent compte de la beauté et de la pureté du ciel ; en quoi est-il associé à l'enfant ?
2. Relevez les termes qui évoquent au contraire la douleur. À quel espace la douleur est-elle associée ?

ÉTUDIER LES PERSONNAGES

1. À qui l'enfant-oiseau parle-t-il ? Comment lui parle-t-il ?
2. C'est la seule partie où l'enfant a une voix ; quel est l'effet de cette prise de parole ?

3. Quelle image cela crée-t-il de lui ?
4. Comment se définit-il ?
5. Quelle image finale avez-vous de lui ?

POUR ALLER PLUS LOIN

1. Qu'est-ce que donner une voix à l'enfant implique ?
2. Que permet le fait de faire parler l'enfant ?
3. Connaissez-vous d'autres textes qui utilisent ce procédé (d'utiliser le regard ou la voix d'un enfant) ?

ÉCRIRE

Racontez une légende que vous aimez. Sur quels aspects insiste-t-elle ? Qu'essaie-t-elle de montrer ? Y a-t-il une morale ? Pourquoi est-ce que vous aimez cette légende en particulier ?

RECHERCHER

1. Comment sont décidés les programmes d'histoire aujourd'hui ?
2. Quelle place occupe l'histoire dans votre pays comme matière enseignée à l'école ? Combien d'heures d'histoire avez-vous ?
3. Recherchez quel est le cursus pour devenir professeur d'histoire ; pour devenir historien(ne). Est-ce quelque chose qui vous attire ?

SYNTHÈSE

La structure générale

1. Comment le récit *Reine Pokou* est-il structuré ? En combien de parties est-il divisé ?

2. Laquelle est la plus développée ? Pourquoi ?

3. Pourquoi l'auteure a-t-elle jugé bon d'ajouter un sous-titre « Concerto pour un sacrifice » ?

4. Que signifie « concerto » dans ce contexte ? L'auteure aurait-elle pu décliner les titres et parties dans un ordre différent ?

Les scénarios

Les trois grandes parties constituent autant de tentatives de réécrire l'histoire de la reine Pokou.

1. Que permet la réécriture de ces différents scénarios ?

2. Faites un tableau pour chaque partie (y compris pour chaque chapitre de la partie II) qui montre les différences de situations, de circonstances, d'atmosphères et de personnages. Y a-t-il des personnages qui apparaissent dans certaines parties et pas dans d'autres ?

3. Montrez les caractéristiques de la reine Pokou pour chaque partie et chaque chapitre.

4. Qu'essaie de montrer l'auteure à travers ces différentes options ?

5. Quel questionnement Véronique Tadjo pose-t-elle par rapport à l'Histoire ?

6. En quoi cela renvoie-t-il à l'Histoire moderne ? Appuyez-vous sur des exemples précis pour soutenir vos réponses.

Textes annexes

« La fille dans l'impasse » *in Le Récit populaire au Rwanda*, introduit et édité par Pierre Smith, « classiques africains », © Armand Colin, 1975.

Conte populaire rwandais qui remonte au XVIe siècle, « Ndabaga » est raconté généralement pour illustrer la gravité d'une situation, la morale de l'histoire était que, dans un contexte dramatique, une fille fut obligée d'aller combattre à la guerre faute de garçon dans la famille.

La fille dans l'impasse

Je vais vous expliquer d'où il est venu de dire, dans la langue rwandaise, que les choses en arrivent à Ndabaga[1]. Jadis, ceux de l'Ankole[2] attaquaient le Rwanda et venaient razzier ses vaches, jusqu'au jour où le roi se décida à installer là un camp militaire frontalier. Il y installa un camp et toute personne de sexe masculin devait aller dans ce camp jusqu'à ce qu'il y soit remplacé par son enfant. S'il n'avait pas d'enfant, il devait mourir là-bas. Les choses traînèrent, des hommes y moururent et il y avait là-bas un homme qui n'avait pas d'enfant ; sa femme accoucha et mit au monde une fille, mais le père ne savait pas que sa femme avait accouché.

La fille se mit à interroger les autres : « Où se trouve mon père ? » On lui répondit qu'il était au camp. Puis sa mère lui demanda : « Sais-tu où vit ton père ? – Je ne sais pas ! Où vit donc mon père ? – À quoi te servirait-il que je te le dise puisque tu es une fille ? Si tu étais un garçon, là, je te le dirais ! » La fille en fut attristée et comme elle avait appris que son père était dans un camp, elle décida dès lors à apprendre à tirer à l'arc ; elle apprit tous les exercices des garçons dans le but d'aller relever son père au camp et de dégager sa mère de travaux excessifs. Elle apprit à tirer à l'arc et au lieu de tresser des petits paniers comme les autres, elle allait concourir à la cible. Lorsqu'elle vit qu'elle avait grandi, elle pressa

1 Ndabaga : dans l'esprit des Rwandais, ce nom dont le sens reste hermétique, désigne l'héroïne ou son père.

2 Ankole : important royaume situé au nord du Rwanda et dans le sud de l'Ouganda.

ses seins pour qu'ils ne poussent pas, de peur qu'on sache qu'elle était une fille.

On alla dire à son père : « Ta fille veut venir ici pour te remplacer. » La jeune fille dit à sa mère : « Je sais comment je vais m'y prendre. Va me chercher des gens et prépare-moi des provisions, puis nous partirons ; ils iront me montrer où se trouve mon père et je prendrai sa relève dans le camp. » Elle mit des habits de garçon, elle y alla et, tout en restant avec ses compagnons, elle offrit beaucoup de choses à son père. Au moment où ils arrivèrent, son père ne la connaissait pas et cette fille ne connaissait pas son père. Puis le père les logea et il croyait, en les logeant, que c'étaient des gens de passage qui allaient s'en retourner. Finalement, la fille lui dit : « Viens, j'ai à te parler ! » Il vint et elle lui déclara : « J'ai voulu venir pour prendre désormais ta relève dans le camp ; je demandais souvent à maman où tu étais et elle me le cachait ; quand je l'ai su, j'ai appris tous les exercices. Reconnais-tu mon sexe maintenant ? – Tu es un garçon. – C'est juste, je suis un garçon, j'ai voulu être un garçon ; j'étais en fait une fille, mais j'ai pressé mes seins pour venir te remplacer. Alors demain, tu t'en iras avec les autres qui partent et ce soir, puisque je viens te remplacer, tu vas me présenter au roi. »

Cet homme avait signé chez le roi qu'il n'avait pas de fils pour le remplacer et qu'il acceptait de mourir au camp. Il alla donc parler au roi lorsque tous les autres vinrent présenter leurs remplaçants : « Je veux, moi aussi, être remplacé. – Tu avais signé que tu mourrais au camp : où donc as-tu trouvé maintenant un remplaçant ? – Taisez-vous ! dit la fille. Quel est celui qui vient de dire que mon père n'a pas de remplaçant ? – Eh bien ! s'écria le roi, voilà une personne qu'il faut craindre, quelqu'un qui arrive dans le camp de cette manière-là et qui n'a pas peur de parler dès le premier jour ! – Demain, dirent-ils à son père, tu pourras rentrer. »

La fille resta là et chaque fois qu'on faisait un concours, elle était la première ; elle était la première au saut en hauteur et elle était la première dans tout le reste. Elle devint alors la première du camp. Lorsqu'on donnait un concours de tir, elle gagnait tout. Elle construisit une petite annexe dans l'enclos où elle était et c'est là qu'elle allait uriner le matin.

Après bien des jours, le chef des hommes du camp qui habitaient avec elle sut que cette fille était une fille ; il vit qu'elle allait uriner dans la petite annexe qu'elle avait construite. Il alla dire alors à son chef : « Savez-vous que celui qui vous bat au tir à l'arc, qui les bat tous au saut en hauteur, est une fille ? » Mais il en parla à son boy. Celui-ci, lorsqu'il le sut, alla le répéter. Quand il le répéta, les autres dirent : « Cet homme devient fou ! Si nous découvrons que ce n'est pas une fille, nous le tuerons ! – D'accord ! Alors, pour le savoir, venez demain et allons l'observer dans sa petite annexe. » Comme ils connaissaient l'heure, ils partirent très tôt et se cachèrent dans la petite annexe où elle avait l'habitude d'aller uriner. La fille vint uriner, ils découvrirent que c'était une fille et l'un d'eux alla le dire au roi : « Cette fille, celui-là qui nous bat au tir l'arc, c'est une fille ! » Le roi fut très étonné et il rit beaucoup. Pour vérifier leurs dires, il voulut alors lutter à bras-le-corps avec elle de façon à se rendre compte si c'était une fille. Mais elle était si vaillante qu'il ne parvenait pas à la jeter à terre. Ils luttèrent, luttèrent… les jours passèrent et le roi n'arrivait pas à ce qu'il voulait.

Finalement, la fille lui demanda : « Pourquoi veux-tu toujours lutter à bras-le-corps avec moi ? – On m'a dit… viens, allons dans la maison, je vais t'interroger et tu me diras si c'est vrai, mais ne me cache rien !… On m'a dit que tu es une fille. – Majesté, je ne peux pas te le cacher, je suis en effet une fille. Quand je suis née, on m'a dit que mon père était dans un camp et qu'il ne pourrait pas trouver de suppléant, aussi ma mère me le reprochait beaucoup ; j'ai appris alors à tirer à l'arc, j'ai tout appris et j'ai pressé mes seins pour pouvoir, moi aussi, partir à la guerre et suppléer mon père. » Quand le roi sut cela, il dit : « Ça, c'est extraordinaire ! Pars, va te marier ; les filles, ça se marie ; une fille ne va pas à la guerre ! – Puisque j'ai pressé mes seins, qui pourrait m'épouser ? » Alors le roi l'épousa, ils vécurent ensemble et il congédia tous ceux du camp. Les jours passèrent et la fille fut enceinte ; une fois enceinte, elle ne put plus sauter[1] ; elle avait mis son arc de côté et quand elle le prit pour tirer, le roi vit bien que, vraiment, une fille ne peut pas aller à la guerre : « Quand une fille va à la guerre, c'est que les paroles [les affaires] en arrivent à Ndabaga ; je congédie tout le monde, partez ! » Ainsi le roi les congédia tous, il resta avec la femme et ils eurent des enfants. Que ce ne soit pas ma fin !

1 Il était strictement interdit aux femmes de sauter, tout comme de porter des armes.

1. Faites le portrait de Ndabaga. Sur quels aspects la voix narrative insiste-t-elle ?
2. Quelle règle a établie le roi ? Pourquoi Ndabaga ne connaît-elle pas son père ? Où est-il ?
3. Comment réagit-elle lorsqu'elle apprend le sort de son père ?
4. Pourquoi Ndabaga veut-elle apprendre les arts du combat ?
5. Comment se sacrifie-t-elle ?
6. Qu'essaie de montrer la légende ?
7. En quoi son sacrifice est-il différent de celui de la reine Pokou ?
8. Y a-t-il des similarités entre le sacrifice des deux femmes ?

Corneille, *Le Cid*, acte I, scène 6.

Le Cid *de Corneille théâtralise le conflit entre amour et devoir, propre à la tragédie classique du XVII*[e] *siècle.*
Dans cette scène de l'acte I, Rodrigue exprime dans un monologue son dilemme après avoir découvert que l'ennemi de son père, celui dont il doit se venger, n'est autre que le père de celle qu'il aime, Chimène.

RODRIGUE

Percé jusques au fond du cœur
D'une atteinte imprévue aussi bien que mortelle,
Misérable, vengeur d'une juste querelle,
Et malheureux objet d'une injuste rigueur,

Je demeure immobile, et mon âme abattue
Cède au coup qui me tue.
Si près de voir mon feu récompensé,
Ô Dieu, l'étrange peine !
En cet affront mon père est l'offensé,

Et l'offenseur le père de Chimène !
Que je sens de rudes combats !
Contre mon propre honneur mon amour s'intéresse :
Il faut venger un père, et perdre une maîtresse :
L'un m'anime le cœur, l'autre retient mon bras.

Réduit au triste choix ou de trahir ma flamme,
Ou de vivre en infâme,
Des deux côtés mon mal est infini.
Ô Dieu, l'étrange peine !
Faut-il laisser un affront impuni ?

Faut-il punir le père de Chimène ?
Père, maîtresse, honneur, amour,
Noble et dure contrainte, aimable tyrannie,
Tous mes plaisirs sont morts, ou ma gloire ternie.
L'un me rend malheureux, l'autre indigne du jour.

Cher et cruel espoir d'une âme généreuse,
Mais ensemble amoureuse,
Digne ennemi de mon plus grand bonheur,
Fer qui causes ma peine,
M'es-tu donné pour venger mon honneur ?

M'es-tu donné pour perdre ma Chimène ?
Il vaut mieux courir au trépas.
Je dois à ma maîtresse aussi bien qu'à mon père :
J'attire en me vengeant sa haine et sa colère ;
J'attire ses mépris en ne me vengeant pas.

À mon plus doux espoir l'un me rend infidèle,
Et l'autre indigne d'elle.
Mon mal augmente à le vouloir guérir ;
Tout redouble ma peine.
Allons, mon âme ; et puisqu'il faut mourir,

Mourons du moins sans offenser Chimène.
Mourir sans tirer ma raison !
Rechercher un trépas si mortel à ma gloire !
Endurer que l'Espagne impute à ma mémoire
D'avoir mal soutenu l'honneur de ma maison !

Respecter un amour dont mon âme égarée
Voit la perte assurée !
N'écoutons plus ce penser suborneur,
Qui ne sert qu'à ma peine.
Allons, mon bras, sauvons du moins l'honneur,

Puisqu'après tout il faut perdre Chimène.
Oui, mon esprit s'était déçu.
Je dois tout à mon père avant qu'à ma maîtresse :
Que je meure au combat, ou meure de tristesse,
Je rendrai mon sang pur comme je l'ai reçu.

Je m'accuse déjà de trop de négligence :
Courons à la vengeance ;
Et tout honteux d'avoir tant balancé,
Ne soyons plus en peine,
Puisqu'aujourd'hui mon père est l'offensé,

Si l'offenseur est père de Chimène.

---

1. Quel dilemme se pose à Rodrigue ?
2. À travers ce monologue, Rodrigue reformule la même question à plusieurs reprises sous différentes formes. Donnez des exemples.
3. Quelles sont les conséquences possibles de son geste s'il venge l'honneur de son père ? Quelles sont les conséquences s'il l'épargne ?
4. Que risque de penser Chimène si Rodrigue venge l'honneur de son père ? S'il épargne le père de Chimène ?
5. Quels points communs voyez-vous dans ce dilemme et le sacrifice qui lui est demandé, et celui posé à la reine Pokou ? Reportez-vous plus particulièrement au chapitre *Dans les griffes du pouvoir* (pp. 78-84).

Cheikh Hamidou Kane, *L'Aventure ambiguë*

Si le texte est publié en 1961, il est en fait écrit dans les années 1950 alors que Cheikh Hamidou Kane est étudiant à Paris. L'Aventure ambiguë *pose à l'époque de manière cruciale le dilemme entre le choix d'une éducation (à travers l'école coranique d'une part, et l'école « des Blancs » d'autre part) et un équilibre possible entre tradition et modernité, entre deux systèmes de pensées et de valeurs morales. L'une des questions clés de* L'Aventure ambiguë *réside dans l'interrogation suivante, à savoir si l'on peut apprendre ci sans oublier cela.*
Dans la scène ci-après, il s'agit pour la Grande Royale d'aider le roi et le peuple des Diallobé à décider s'il faut envoyer Samba à l'école « des Blancs », le « sacrifier », ce que cela signifie et quelles sont les implications.

[…] Lorsqu'il leva la tête, son regard rencontra un grand visage altier, une tête de femme qu'emmitouflait une légère voilette de gaze blanche.

On la nommait la Grande Royale. Elle avait soixante ans et on lui en eût donné quarante à peine. On ne voyait d'elle que le visage. Le grand boubou bleu qu'elle portait traînait jusqu'à terre et ne laissait rien apparaître d'elle que le bout pointu de ses babouches jaunes d'or, lorsqu'elle marchait. La voilette de gaze entourait le cou, couvrait la tête, repassait sous le menton et pendait derrière, sur l'épaule gauche. La Grande Royale, qui pouvait bien avoir un mètre quatre-vingts, n'avait rien perdu de sa prestance malgré son âge.

La voilette de gaze blanche épousait l'ovale d'un visage aux contours pleins. La première fois qu'il l'avait vue, Samba Diallo avait été fasciné par ce visage, qui était comme une page vivante de l'histoire du pays des Diallobé. Tout ce que le pays compte de tradition épique s'y lisait. Les traits étaient tout en longueur, dans l'axe d'un nez légèrement busqué. La bouche était grande et forte sans exagération. Un regard extraordinairement lumineux répandait sur cette figure un éclat impérieux. Tout le reste disparaissait sous la gaze qui, davantage qu'une coiffure, prenait ici une signification de symbole. L'islam réfrénait la redoutable turbulence de ces traits, de la même façon que la voilette les enserrait. Autour des yeux et sur les pommettes, sur tout ce visage, il y avait comme le souvenir d'une jeunesse et d'une force sur lesquelles se serait apposé brutalement le rigide éclat d'un souffle ardent.

La Grande Royale était la sœur aînée du chef des Diallobé. On racontait que, plus que son frère, c'est elle que le pays craignait. Si elle avait cessé ses infatigables randonnées à cheval, le souvenir de sa grande silhouette n'en continuait pas moins de maintenir dans l'obéissance des tribus du Nord, réputées pour leur morgue hautaine. Le chef des Diallobé était de nature plutôt paisible. Là où il préférait en appeler à la compréhension, sa sœur tranchait par voie d'autorité.

[...]

Samba Diallo se souvint. « C'est aujourd'hui, se dit-il, que la Grande Royale a convoqué les Diallobé. Ce tam-tam les appelle. »

Il se leva du sol de terre battue où il avait dormi, fit une brève toilette, pria et sortit en hâte de la maison du maître, pour se rendre à la place du village où se réunissaient les Diallobé. La place était déjà pleine de monde. Samba Diallo, en y arrivant, eut la surprise de voir que les femmes étaient en aussi grand nombre que les hommes. C'était bien la première fois qu'il voyait pareille chose. L'assistance formait un grand carré de plusieurs rangs d'épaisseur, les femmes occupant deux des côtés et les hommes les deux autres. L'assistance causait tout bas, et cela faisait un grand murmure, semblable à la voix du vent. Soudain, le murmure décrut. Un des côtés du carré s'ouvrit et la Grande Royale pénétra dans l'arène.

– Gens du Diallobé, dit-elle au milieu d'un grand silence, je vous salue.

[...]

Une rumeur diffuse et puissante lui répondit.

Elle poursuivit.

– J'ai fait une chose qui ne nous plaît pas, et qui n'est pas dans nos coutumes. J'ai demandé aux femmes de venir aujourd'hui à cette rencontre. Nous autres Diallobé, nous détestons cela, et à juste titre, car nous pensons que la femme doit rester au foyer. Mais de plus en plus, nous aurons à faire des choses que nous détestons, et qui ne sont pas dans nos coutumes. C'est pour vous exhorter à faire une de ces choses que j'ai demandé de vous rencontrer aujourd'hui.

« Je viens vous dire ceci : moi, Grande Royale, je n'aime pas l'école étrangère. Je la déteste. Mon avis est qu'il faut y envoyer nos enfants cependant. »

Il y eut un murmure. La Grande Royale attendit qu'il eût expiré, et calmement poursuivit.

– Je dois vous dire ceci : ni mon frère, votre chef, ni le maître des Diallobé n'ont encore pris parti. Ils cherchent la vérité. Ils ont raison. Quant à moi, je suis comme ton bébé, Coumba (elle désignait l'enfant à l'attention générale). Regardez-le. Il apprend à marcher. Il ne sait pas où il va. Il sent seulement qu'il faut qu'il lève un pied et le mette devant, puis qu'il lève l'autre et le mette devant le premier.

La Grande Royale se tourna vers un autre point de l'assistance.

– Hier, Ardo Diallobé, vous me disiez : « La parole se suspend, mais la vie, elle, ne se suspend pas. » C'est très vrai. Voyez le bébé de Coumba.

L'assistance demeurait immobile, comme pétrifiée. La Grande Royale seule bougeait. Elle était, au centre de l'assistance, comme la graine dans la gousse.

– L'école où je pousse nos enfants tuera en eux ce qu'aujourd'hui nous aimons et conservons avec soin, à juste titre. Peut-être notre souvenir lui-même mourra-t-il en eux. Quand ils nous reviendront de l'école, il en est qui ne nous reconnaîtront pas. Ce que je propose, c'est que nous acceptions de mourir en nos enfants et que les étrangers qui nous ont défaits prennent en eux toute la place que nous aurons laissée libre.

Elle se tut encore, bien qu'aucun murmure ne l'eût interrompue. Samba Diallo perçut qu'on reniflait près de lui. Il leva la tête et vit deux grosses larmes couler le long du rude visage du maître des forgerons.

– Mais, gens des Diallobé, souvenez-vous de nos champs quand approche la saison des pluies. Nous aimons bien nos champs, mais que faisons-nous alors ? Nous y mettons le fer et le feu, nous les tuons. De même, souvenez-vous : que faisons-nous de nos réserves de graines quand il a plu ? Nous voudrions bien les manger, mais nous les enfouissons en terre.

« La tornade qui annonce le grand hivernage de notre peuple est arrivée avec les étrangers, gens des Diallobé. Mon avis à moi, Grande Royale, c'est que nos meilleures graines et nos champs les plus chers, ce sont nos enfants. Quelqu'un veut-il parler ?

Nul ne répondit.

– Alors, la paix soit avec vous, gens des Diallobé, conclut la Grande Royale.

---

1. Faites le portrait de la Grande Royale. Sur quels aspects insiste le narrateur ? Dégagez les traits (physiques et psychologiques) qui permettent de constituer son portrait en tant que femme. En tant que femme de pouvoir.
2. Quels détails montrent qu'elle est respectée et écoutée ?
3. Quelle est sa vision ? Quelles questions pose-t-elle ? En quoi cela mène-t-il à sa décision ?
4. Quel pouvoir a-t-elle dans la communauté ?
5. Quelles différences voyez-vous ici avec le portrait de la reine Pokou ? Quelles similarités ?

Imprimé en Inde par Replika Press Pvt Ltd
Dépôt légal : 03/2019 – Collection n° 10 – Édition n° 03 – 59/5220/5